ANNA MARANTI
ARCHÉOLOGUE

DELPHES

D1444526

EDITIONS
TOUBI'S®
ΕΚΔΟΣΕΙΣ

ATHÈNES 2000

© Copyright 2000   ÉDITIONS MICHALIS TOUBIS S.A.
                    Nisiza Karela, 194 00 Koropi
                    Tél. (010) 6029974, FAX: (010) 6646856
                    http://www.toubis.gr

ISBN: 960 - 540 - 352 - 8

SOMMAIRE

DELPHES L'

C'est au cœur du paysage sauvage de Delphes, si riche en beautés naturelles et à la splendeur exceptionnelle, au pied des impérieuses Phédriades, que se créa durant l'antiquité un centre religieux unique, à portée œcuménique.

Le site, qui jouissait d'un cadre naturel favorable, accueillit le culte d'un dieu, dont le personnage paisible fut associé au destin légendaire de l'homme. Ce souffle léger qui se dégage du site ne pourra laisser le visiteur contemporain indifférent, lorsqu'il apercevra pour la première fois ce paysage splendide que les Grecs anciens choisirent afin d'y établir l'Omphalos de la terre, le centre du monde.

Construite en amphithéâtre à 500-570 mètres d'altitude, la ville de Delphes était littéralement accrochée aux pentes du mont Parnasse, et elle se trouvait dans la région antique de Phocide, qui a aujourd'hui été partagée entre plusieurs régions.

La vue panoramique offerte par le site est admirable.

La ville et ses vestiges se dressent au pied des deux immenses rochers des Phédriades, celui de Hyampeia à l'est – aujourd'hui appelé Phlemboukos – et de Nauplie à l'ouest, l'actuelle Rhodini. Et c'est là, au cœur de ces deux énormes rochers, que s'ouvre une faille béante (Arkoudoréma) de laquelle jaillit la source de Castalie, à l'eau cristalline et aux vertus divinatoires. Au sud, s'étend la vallée verdoyante de Krisa (formée par le lit du fleuve Pleistos), qui est bordée par la colline de Kirfi, et se poursuit, couverte d'oliviers, jusqu'à la mer où le visiteur pourra contempler les eaux paisibles du golfe d'Itéa.

Ce n'est donc pas un hasard si les Grecs anciens choisirent

OMPHALOS DE LA TERRE

ce carrefour majeur pour en faire le centre du monde.

Séduit par la splendeur du paysage, le visiteur contemporain aura l'impression de voir encore planer sur les vestiges les ombres des humbles pèlerins venus rendre hommage au dieu puissant et à un sanctuaire, dont l'influence religieuse et culturelle fut immense dans l'ensemble du monde hellénique.

Le visiteur ne pourra rester insensible au cadre admirable que choisirent les Grecs anciens afin de se livrer au culte de ce dieu qui marqua le début d'un nouvel ordre des choses, et introduisit un mode de vie équilibré et moral, prenant en compte les nuances de l'esprit humain.

C'est au sein de ce centre religieux, qui vit naître l'un des sanctuaires réputés de la Grèce Antique, que se développèrent de manière exceptionnelle, toutes les facettes et les particularités d'une culture tournée vers l'Homme, telle que l'était celle de la Grèce antique.

Son rayonnement atteignit même l'Asie Centrale, et l'oracle de Delphes, qui constituait l'élément régulateur par excellence de la réalité grecque - et pas seulement -, fut submergé d'offrandes somptueuses.

Ce site fut également choisit par Angélos Sikélianos afin de promouvoir l'image culturelle internationale de la Grèce contemporaine, en enjolivant les racines de la Grèce antique, qui traversèrent, intactes, les siècles. Et comme il le souligna lors de ses tentatives d'organiser les fêtes de Delphes:

«J'ai proposé que Delphes soit le mot d'ordre qui grâce à ses origines séculaires, renferme énergiquement la capacité d'une influence idéologique œcuménique, sur la terre entière».

C'est dans un cadre naturel à la beauté extraordinaire,
sur les pentes d'un ravin particulièrement fascinant
et à la végétation dense, que furent construits durant
l'Antiquité l'oracle de Delphes et son sanctuaire.

HISTOIRE DU SANCTUAIRE

Données Mythologiques

Lorsque Zeus décida de trouver le centre de la terre, il laissa s'envoler deux aigles à partir des deux extrémités du monde. Les oiseaux sacrés se rencontrèrent alors à Delphes, ce qui fut le présage de l'importance de ce site et de son prestige futur.

Le site de Delphes acquit vite une renommé énorme et cela principalement en raison des vapeurs qui s'échappaient d'une faille et qui mettaient en transe toute personne qui s'en approchait. C'est ce caractère inhabituel du lieu qui servit de prétexte à la fondation de l'oracle, au sein duquel on vénérait la mère chtonienne des dieux, Gaia (Gâ).

La déesse Gaia prophétisait par l'intermédiaire de la prophétesse Sibylle, puis à travers le personnage d'Hérophile, à laquelle Hérodote donna le nom de Pythie. Le gardien de l'oracle de la déesse Gaia était le fils de cette dernière, le dragon Python. Cette version, qui est principalement soutenue par Eschyle, et qui prédomina au cours des années classiques, considère Apollon comme le successeur de l'oracle de Delphes et non comme son fondateur. Ce sanctuaire fut offert au dieu par la sœur de Gaia, Phoibê. Cette version fait référence à Apollon sous le nom d'Apollon Phoibos.

L'hymne homérique attribue quant à lui la fondation du sanctuaire au dieu lui-même. Selon les récits d'Homère, après avoir erré dans toute la Grèce centrale, Apollon aboutit au pied des deux énormes rochers du mont Parnasse, les Phédriades, et c'est là qu'il décida de fonder son sanctuaire, après avoir tué le Python légendaire, qui veillait sur les lieux. La légende veut qu'à la suite de l'assassinat du python, le dieu se soit exilé pendant huit longues années, se punissant ainsi pour avoir commis l'acte terrible du meurtre.

Pendant l'exil du dieu dans la région de Tempé, Dionysos rassemblait son cortège et venait s'installer dans le sanctuaire durant trois mois, chaque été et chaque hiver, lors de la période de pénitence d'Apollon. Les diverses légendes veulent que par la suite Apollon, transformé en dauphin, ait fait son apparition dans un groupe de marchands qui se rendaient en Crète et modifiant à bon escient la destination de leur voyage, les amena à Delphes pour qu'ils lui servent dès lors de serviteurs. Un autre mythe, soutenu cette fois par Pausanias, veut que Gaia et Poséidon aient été les premiers possesseurs de l'oracle.

D'une manière générale, on peut dire que le sanctuaire d'Apollon fut le lieu de culte de nombreux dieux, et on y vénéra également des symboles tels que le rocher de Sibylle, l'Omphalos de la terre etc…

Période Mycénienne

Les fouilles archéologiques ont permis de découvrir que le site avait été habité dès l'époque mycénienne. Un petit village peu peuplé s'étendait sur le site allant de Castalia jusqu'au temple le plus récent d'Apollon et il date de la troisième période de l'helladique récent (1400 av. J.-C.). Les archéologues ont révélé à la lumière du jour des tombes, des tessons en céramique ainsi que quelques idoles féminines.

Le centre de ce hameau mycénien devait se trouver dans la région du temple d'Apollon, bien que la plupart des découvertes proviennent de la région du sanctuaire d'Athéna Pronaia. C'est à cet endroit que se trouvait le lieu de culte mycénien manifestement dédié au prédécesseur d'Apollon de Delphes, Gaia, la première prophétesse et également la mère des dieux.

Ce petit hameau fut cependant détruit par une chute de pierres ou par un incendie dont on a découvert des traces dans la couche stratigraphique correspondante.

LE RENFORCEMENT DE L'ORACLE DE DELPHES

C'est au cours des années géométriques que l'on voit apparaître dans la région le culte d'Apollon (jusqu'à la fin de l'Antiquité l'ancien sanctuaire à ciel ouvert de Gaia demeura toutefois intact, entouré des rochers sacrés). La réputation du sanctuaire et de l'oracle d'Apollon commença à se répandre dans toute la Grèce. À partir du VIIIe siècle av. J.-C., le sanctuaire de Delphes connut un essor rapide. Son prestige et son influence s'imposèrent dans la Grèce entière tandis qu'en même temps l'oracle de Delphes fut submergé par les riches offrandes des pèlerins.

L'oracle de Delphes, puissant et solennel, constitua l'un des facteurs les plus importants de la réalité grecque de l'époque, et son rôle directeur eut une influence majeure dans les questions politiques, religieuses, constitutionnels et autres.

Durant l'époque de la colonisation grecque, qui débuta au cours des dernières décennies du VIIIe siècle av. J.-C., l'oracle de Delphes se distingue par son rôle consultatif exceptionnel. Les colonies qui sont décrites comme ayant été fondées sur les conseils de la Pythie, se trouvent dans le sud de l'Italie et en Sicile et les colons étaient originaires de Corinthe, Sparte, Achaïe qui sont des régions voisines de Delphes.

Dès le début du VIIe siècle av. J.-C., les futurs colons venaient demander conseil à l'oracle de Delphes. Ils étaient originaires des îles de la mer Égée et étaient envoyés non seulement en Occident mais aussi sur les rivages de Thrace et en Afrique du Nord. Vers la fin du VIIe siècle av. J.-C. certains pèlerins venaient même d'Asie Mineure afin de consulter l'oracle. Toutes les colonies rendaient hommage au dieu Apollon en lui conférant le surnom d'Archigète (qui en grec signifie «chef»).

L'oracle de Delphes était désormais reconnu en tant que véritable régulateur des questions religieuses et toutes les villes recherchaient ses conseils afin d'importer des cultes étrangers mais aussi pour instituer de nouveaux principes rituels. Cela facilita donc l'introduction du culte de Cybèle de Phrygie ainsi que celui d'Hécate de Carie. L'oracle contribua de

Depuis les temps les plus reculés, la région n'a révélé aucun élément significatif. Seuls quelques tessons datant de l'époque néolithique ainsi que quelques fragments d'objets en terres cuite datant de l'époque proto-helladique (3000 – 2000 av. J.-C.) et de l'helladique moyen (1900-1600 av. J.-C.) ont été sauvegardés. L'absence de ruines d'habitations dans la région est toutefois certaine.

manière significative à élever la morale et la justice au cours des années archaïques. Le prestige de l'oracle était d'ailleurs si grand qu'il n'était pas seulement consulté par les rois et les nobles grecs mais aussi par les souverains étrangers, qui influencés par sa renommée envoyaient des offrandes ou demandaient des conseils. Au début du VIIe siècle av. J.-C. Midas, le roi légendaire de Phrygie, envoya son trône royal au sanctuaire de Delphes en marque de respect envers Apollon Pythien. Gygès, le premier roi de la dynastie des Mermnades, qui monta sur le trône de Sardes en 675 av. J.-C., envoya lui aussi à Delphes de nombreuses offrandes en or. La légende veut que lorsque l'oracle fut amené à jouer un rôle d'arbitre entre Gygès et ses adversaires politiques, il se prononça en faveur du premier, exprimant ainsi sa reconnaissance envers sa personne. Mais Crésus, le roi de Lydie et descendant de Gygès, envoya lui aussi à Apollon Pythien de somptueux présents. Cypsélos, le célèbre tyran de Corinthe, montra son dévouement envers le dieu, en construisant à Delphes le premier trésor dédié à Apollon.

Au fil des ans la puissance de Delphes s'accrut. À la fin du VIIe siècle av. J.-C. le sanctuaire représentait incontestablement un lieu possédant une immense influence et attirant d'énormes richesses. L'existence de l'institution majeure qu'était l'amphictyonie joua un rôle significatif dans l'essor du sanctuaire.

L'AMPHICTYONIE PYLÉODELPHIQUE

D'une manière plus générale, les amphictyonies naquirent du besoin de faire de certains sanctuaires des lieux de rencontre des représentants de divers pays.

Plus précisément, la constitution d'une amphictyonie était au départ dictée par le besoin de prendre des décisions relatives aux sanctuaires, à l'organisation de kermesses, la construction de temples, la réalisation de sacrifices, la gestion de biens patrimoniaux ainsi qu'à d'autres sujets sur lesquels on procédait à un échange fertile d'opinions. Le caractère sacré du site était un facteur majeur facilitant le rapprochement des opinions et l'invocation de la divinité à laquelle il était rendu hommage en tant que garante, conférait une valeur particulière aux accords. Ainsi, certaines amphictyonies se transformèrent en confédérations d'États, qui jouèrent un rôle politique majeur.

L'amphictyonie antique contribua principalement à la formation de groupes grecs au-delà des limites politiques étroites. Les représentants siégeaient dans des lieux sacrés, à l'origine dans le sanctuaire de Déméter «Amphictionide», à proximité d'Anthéla, puis dès le VIIe siècle av. J.-C. dans le sanctuaire d'Apollon de Delphes (bourgade de Phocide).

Le besoin que le sanctuaire de Delphes ne dépende pas de l'un des États membres siégeant en son sein, amena progressivement à l'indépendance complète du sanctuaire. La session normale de la réunion de l'amphictyonie conserva le nom de «Pylée» depuis l'époque où son siège se situait à Anthéla, bourg de la région des Thermopyles. Ainsi l'un des deux délégués de chaque représentation étatique garda le nom de «pylagore». Le second représentant s'appelait hiéromnémon.

Des sources plus récentes font référence aux 12 états qui prenaient part aux sessions. Il s'agissait des Enianes, des Achéens de Phthiodide, des Béotiens, des Dolopes, des Doriens, des Tessaliens, des Ioniens, des Locriens, des Maliens, des Magnètes, des Perrhèbes, des Phoci- diens. Au cours de leur entrée dans l'amphictyonie ils constituaient des États raciaux. En ce qui concerne la date de fondation de l'amphictyonie, les avis divergent.

Une chose est sûre cependant: lorsque les Ioniens adhérèrent à l'amphictyonie, dans laquelle se trouvaient les Athéniens et les Eubéens, ils formèrent alors une ligue. Cela eut lieu vers la fin du VIIIe siècle av. J.-C.

Des décisions majeures étaient prises lors des réunions de l'amphictyonie. Des mesures somptuai- res de droit entre les États membres étaient également adoptées. On distingue la décision prise après le VIIe siècle av. J.-C., qui reconnaissait la solidarité entre les États- membres et l'interdiction de détruire les cités États qui participaient à l'amphictyonie par d'autres membres et cela même en période de guerre. Cette mesure ne fut cependant pas suivie.

Pièce de monnaie de l'Amphictyonie. Athènes, Collection Numismatique du Musée Archéologique National.

LA 1ÈRE GUERRE SACRÉE

Le peuple des Thessaliens était le plus puissant dans le centre de la Grèce et il revendiqua le contrôle des Thermopyles. La seule entrave à ce projet était la ville de Krisa, en Phocide.

Grâce à sa situation géographique, la ville de Krisa contrôlait l'accès à Delphes par voie de mer et elle imposa des taxes sur les marchandises transportées et sur les pèlerins qui arrivaient par bateau. En raison de sa taille, de sa richesse et de sa situation stratégique, Krisa menaçait l'indépendance du petit village et du sanctuaire. Son port, Kirrha, constituait également un repère de pirates qui pillaient les marins et les pèlerins se rendant à Delphes.

Les murs de Krisa arrêtèrent la cavalerie de Thessalie, ce qui provoqua la colère des Thessaliens. L'assemblée de l'amphictyonie décida de déclarer la guerre sacrée à la ville de Krisa en invoquant comme raison l'irrespect. Elle détruisit donc les cultures de la ville, vendit les habitants de cette dernière comme esclaves, et enfin dédia la ville à Léto et Artémis mais avant tout à Apollon et à Athéna Pronaia.

La plus grande partie des opérations de guerre de la 1ère Guerre Sacrée fut prise en charge par les Thessaliens sur la terre, et par les Syciones de Clisthène, sur les mers. La guerre dura 10 longues années et elle prit fin en 590 av. J.-C. ou 591 av. J.-C. Une autre version situe toutefois la 1ère Guerre Sainte entre 595 et 586 av. J.-C.

Cette lutte engendra bien entendu la destruction de Krisa et de Kirrha et leur soumission face aux Amphictyons, tandis que les habitants furent vendus comme esclaves et leur ville détruite fut dédiée aux divinités de Delphes. Les terres de Krisa furent déclarées maudites et leur culture fut interdite.

Avec la fin de la 1ère Guerre Sacrée on vit reparaître le concours des Pythia, cette fête qui était célébrée en hommage au meurtre du Python par Apollon et à l'exil du dieu dans la région de Tempé. Suite à la prise de Krisa, les Amphictyons se chargèrent de l'organisation des Pythia, en ajoutant aux épreuves musicales, qui existaient déjà, des épreuves gymniques et des courses de chars. Les premières Pythia furent celles de 582 av. J.-C., lorsque toute résistance de la part des Kriséens fut réduite à néant. On organisa dès lors ces jeux tous les quatre ans.

L'Apogée de l'Oracle

Durant la période de reconstruction du temple d'Apollon, on assiste à l'édification de beaux édifices, tels que le trésor des Siphniens.
Une pléthore de constructions admirables, ainsi que des ex-voto aux ornements somptueux, offerts par des particuliers ou par des cités, trouvent leur place dans ce temple. Parallèlement, on procède à l'agrandissement de l'ancien mur d'enceinte afin qu'il puisse abriter les nouveaux édifices et il commence ainsi à revêtir sa forme classique.

Delphes occupa ainsi une position exceptionnelle en Grèce et la cité cessa de faire partie des membres de la nation des Phocidiens. Elle conserva en outre le total contrôle de l'oracle et les prêtres étaient élus exclusivement par les habitants de Delphes. La petite ville, qui comptait moins de 1000 habitants, vivait de l'exploitation de l'oracle et des dépenses effectuées par les pèlerins. Les principales sources de revenus étaient les auberges, la vente de couteaux destinés aux sacrifices, le commerce d'articles religieux, ainsi que les métiers de graveur de stèles, de guide, de sacrificateur etc...

L'oracle de Delphes fut considéré comme l'expression la plus authentique de la volonté des dieux, non seulement au niveau de la Grèce entière mais également dans l'ensemble du monde connu d'alors. Les offrandes effectuées par des souverains étrangers étaient innombrables mais elles furent toutes éclipsées par les offrandes exceptionnelles du roi de Lydie, Crésus. Le plus somptueux de ces présents était un lion en or dressé sur une pyramide faite de 117 plaques «d'or blanc» (alliage d'or et d'argent). Il pesait environ 250 kilos. Parmi les offrandes de Crésus on distinguait également deux gigantesques cratères, l'un en or et l'autre en argent, qui furent disposés de chaque côté de l'entrée du temple, ainsi que d'autres ex-voto en or et en argent auxquels Hérodote fait référence.

En 548 av. J.-C. l'ancien temple du sanctuaire d'Apollon fut détruit lors d'un incendie. Sa construction s'acheva en 510 av. J.-C., grâce à l'intervention des Alcméonides en 514 av. J.-C. Cette grande famille athénienne avait été exilée par Pisistrate et par les fils de ce dernier. Les Alcméonides achevèrent l'édifice à leurs propres frais et ils employèrent du marbre pour la réalisation de la façade, au lieu du tufeau (moins onéreux) initialement prévu.

L'oracle possédait dès lors son propre caractère moral. Au VIIe siècle av. J.-C. on mit l'accent sur les thèmes du crime et de la purification rituelle. Vers le VIe siècle av. J.-C., ce sont les thèmes de la responsabilité personnelle et de la détermination des limites humaines qui retinrent l'intérêt. Le prestige et l'agrément de l'oracle au niveau de la Grèce entière sont désormais un fait établi.

Vers 505/4 av. J.-C., dans le cadre de sa politique de réformes, l'Athénien Clisthène soumis à Delphes les noms de 100 héros de l'Attique, parmi lesquels la Pythie choisit 10 noms, afin qu'ils soient désignés en tant que protecteurs officiels des nouveaux peuples.

LE SANCTUAIRE DE DELPHES AU COURS DES GUERRES MÉDIQUES

Durant les guerres médiques, Delphes et son sanctuaire eurent une position ambiguë face aux Grecs, de peur d'être détruits. Les habitants de Delphes «trahirent» afin de survivre, mais ils tentèrent avec habileté de le dissimuler. La peur d'un pillage imminent amena l'oracle de Delphes à «médire» en annonçant des prévisions affligeantes, qui prédisaient le désastre et l'extermination des Grecs par les Perses. Toutefois, son rôle consultatif essentiel continua à prévaloir lors de la prise de décisions majeures. Avant la bataille de Salamine, en 480 av. J.-C., Thémistocle avait réussi à convaincre les Athéniens d'évacuer la région d'Attique sous la protection de la flotte grecque, qui avait jeté l'ancre à Salamine. Des informations fournies par Plutarque nous révèlent le rôle joué par l'oracle dans cette décision. Ces sources indiquent que ne parvenant pas à convaincre les Athéniens, Thémistocle utilisa des signes divins qu'il réussit à interpréter comme les circonstances l'exigeaient.

Au cours des guerres médiques, Hérodote mentionne en 480 av. J.-C., que Delphes échappa au pillage grâce à l'intervention d'Apollon et il ajoute que leur salut relève du miracle: «...d'énormes rochers se détachèrent des Phédriades et les Perses s'enfuirent, pris de panique».

En dépit de la politique ambiguë menée par la cité de Delphes et de son incapacité à venir en aide aux Grecs en ces instants difficiles, le prestige moral du sanctuaire ne fut pas altéré et la foi des Grecs dans le jugement objectif du dieu ne fut pas non plus ébranlée. À la suite de leur victoire dans la bataille navale de Salamine, les Grecs dédièrent à Apollon Pythien un mat en bronze orné de trois étoiles en or. Ils firent également don d'une statue en bronze d'Apollon tenant dans la main un éperon de bateau haut de 12 coudées.

Hérodote raconte que les Athéniens envoyèrent des théores (sorte d'ambassadeurs d'un dieu) à Delphes afin qu'ils consultent l'oracle. La Pythie Aristonikè prononça un oracle particulièrement débilitant qui prévoyait l'anéantissement de la cité des Athéniens. Un sentiment de détresse envahit alors les théores jusqu'à ce que Timon, le fils d'Aristobule leur conseilla de se rendre au sanctuaire afin de solliciter une seconde prophétie. Les Athéniens suivirent son conseil et ils obtinrent de la pythie un présage assez différent qui parlait certes de désastre mais prévoyait que la ville serait finalement sauvée par un «mur en bois».

Thémistocle suggéra à la ville que par la phrase «mur en bois» la pythie faisait référence aux bateaux et il parvint à évacuer la région d'Attique et à mener à bien l'opération de la bataille de Salamine, au cours de laquelle les Grecs réalisèrent l'une des batailles navales les plus glorieuses de l'histoire, un réel triomphe. Il convient de mentionner que les récits d'Hérodote concernant les deux oracles, furen probablement inventés à l'issue des évènements. On retient également la version moins probable selon laquelle les présages auraient été le fruit de l'invention de l'ingénieux Thémistocle afin d'arriver à réaliser son plan, qu'il pensait être l'unique solution face à la menace perse.

Lorsque les guerres médiques prirent fin, Delphes était parvenue à conserver sa place en tant que centre culturel de la Grèce. On vit alors affluer de nombreuses offrandes honorifiques, particulièrement impressionnantes. On distingue d'ailleurs l'ex-voto offert par les Grecs (après leur victoire dans la bataille de Platées) à Apollon Pythien, qui était un chef d'œuvre exceptionnel. Il s'agissait d'un trépied en or placé au sommet d'une colonne en bronze et qui représentait trois serpents enlacés. Sur les spirales formées par les serpents étaient gravés les noms des villes qui combattirent à Platées. Pausanias avait probablement gravé sur le socle de la colonne, le distique suivant:

«Le chef des Grecs, Pausanias, après avoir anéanti l'armée des Perses, dédia à Phoebus (surnom donné par les Romains à Apollon et signifiant Soleil), ce monument».

Selon l'historien Thucydide cette épigramme dont Pausanias était l'auteur, constitua la première raison de la disgrâce dans laquelle il tomba, et cela parce que les Spartiates et les autres Grecs ne pardonnèrent pas au vainqueur de la guerre des Platées son arrogance. Thucydide raconte que les Grecs effacèrent l'épigramme et la remplacèrent par les noms des peuples. Il se peut qu'à côté des noms, le socle ait également porté une épigramme de Cimon:

«Les sauveurs de la Grande Grèce le dédicacèrent après avoir sauvé les cités de l'abominable soumission».

Durant les 50 années suivantes, après les guerres médiques, l'oracle de Delphes connut une période de tranquillité.

LA 2ÈME GUERRE SACRÉE

Au milieu du Ve siècle av. J.-C., la rivalité entre Athènes et Sparte s'accrut. En 448 av. J.-C. les Spartiates déclarèrent la 2ème Guerre sacrée aux Phocidiens, car ces derniers avaient imposé leur contrôle sur le sanctuaire de Delphes, avec l'aide des Athéniens. Les Spartiates remportèrent la victoire et ils restituèrent le sanctuaire aux habitants de la région. Mais après le départ des Spartiates, les Athéniens envoyèrent des forces armées et rétablirent le contrôle des Phocidiens à Delphes.

Au début de la Bataille du Péloponnèse, les habitants de Delphes subirent de nombreuses pressions afin de s'engager dans la bataille grecque. Cela les amena à adopter une attitude hostile envers les Athéniens.

Delphes recouvra son autonomie en 421 av. J.-C. Le texte de «la Paix de Nicée», ce traité qui fut passé entre Athènes et Sparte en 421 av. J.-C. et qui avait une durée précise de 50 ans, est particulièrement révélateur et déterminant. En effet la deuxième clause de ce traité, tel qu'il nous est livré par Thucydide, spécifie que le temple, le sanctuaire et la ville de Delphes sont libres et autonomes.

Représentation du trépied delphique de Platées.

En 373 av. J.-C., le grand temple d'Apollon fut détruit lorsque des pierres se détachèrent des Phédriades, suite à un violent séisme. La reconstruction ainsi que la gestion financière de l'ouvrage furent confiées à une commission spéciale, qui fut désignée par l'assemblée de l'Amphictyonie. La reconstruction du temple débuta et elle devait être avancée de manière significative lorsqu'elle fut interrompue en 356 av. J.-C.

LA 3ÈME GUERRE SACRÉE

L'assemblée de l'Amphictyonie constitua un sujet de discorde entre les grandes puissances des diverses époques. Les Phocidiens revendiquaient quant à eux la cité de Delphes. Ils prétendaient que Delphes était une bourgade de Phocide qui devait être restituée aux Phocidiens, car elle était mentionnée dans l'ouvrage de l'épopée homérique appelé «liste des navires». Mais aucun État membre de l'amphictyonie ne souhaitait que ce rattachement ait lieu, préférant que le siège de l'amphictyonie se situe dans un État indépendant, même si celui-ci était petit. En 363 av. J.-C., les membres de l'Amphictyonie portèrent un coup au parti des habitants de Delphes qui souhaitaient être rattachés au peuple phocéen.

Suite à une proposition du Thessalien Andronicos, on décida d'exiler les citoyens qui étaient sympathisants des Phocidiens. Par la suite, sur la suggestion des Thébains, l'assemblée de l'Amphictyonie infligea une amende à certains Phocidiens. Ces derniers ne s'exécutèrent pas et lors de la session du printemps de 356 av. J.-C., l'assemblée ordonna le paiement immédiat de l'amende et il menaça de déclarer la guerre à l'État phocéen, si celui-ci n'obtempérait pas.

La décision de l'assemblée de l'Amphictyonie provoqua la réaction des Phocidiens. Le citoyen le plus notable de la ville, Philomélos, avança que l'amende était exagérée et que les Phocidiens devaient occuper de manière exclusive le site de Delphes et devenir les seuls maîtres de l'oracle. L'église élut Philomélos «général empereur», lui attribua un pouvoir absolu et élut Onomarque, en tant que son premier assistant.

Grâce à une aide économique secrète provenant de Sparte, Philomélos, augmenta la garnison de mercenaires et aidé de 1000 Phocidiens, il envahit Delphes sans même avoir besoin de livrer bataille. Il transgressa ainsi deux décisions de l'amphictyonie: la décision concernant le soutien à tous ceux qui ne se conformaient pas aux résolutions de l'amphictyonie ainsi que celle relative à l'interdiction de briser l'indépendance de Delphes.

Les Locriens d'Amphissa essayèrent en vain de détrôner les Phocidiens. Philomèle décréta alors l'invalidité de la décision de l'amphictyonie pour les Phocidiens et il ordonna que cette résolution soit effacée de la stèle sur laquelle elle avait été inscrite. En juin ou en juillet de l'an 356 av. J.-C., il commença à édifier les fortifications de la ville de Delphes et il en augmenta le nombre de mercenaires. Mais pour leurs ennemis, les Phocidiens étaient des profanateurs qui avaient enfreint la décision de l'amphictyonie, avaient envahi Delphes et avaient imposé leur volonté par les armes, tant dans la ville qu'au sein du site sacré.

Les prêtres de Delphes opposèrent quant à eux une résistance passive, en interrompant les prédictions de l'oracle. Les autres amphictyons n'auraient pu demeurer impassibles face à ces évènements. À l'automne de l'an 355 av. J.-C., ils se rassemblèrent à Thermopyles. La majorité des amphictyons qui participèrent à cette assemblée décidèrent de déclarer la guerre sacrée aux Phocidiens. Au printemps de l'an 354 av. J.-C., à la suite d'une lutte sanglante, l'armée de l'amphictyonie vainquit les Phocidiens et Philomèlos se suicida.

À Phocide, la municipalité consacra Onomarque «général empereur». La spoliation des trésors de l'oracle de Delphes constitua le principal facteur économique générateur de richesse pour Onomarque. La troisième guerre sacrée se poursuivit durant 10 ans et elle donna à Philippe II de Macédoine la possibilité d'intervenir dans les affaires de la Grèce du Sud. En 346 av. J.-C., l'intervention de Philippe II engendra la destruction des Phocidiens. La ville de Delphes exprima de manière effective ses sentiments de reconnaissance envers le roi Philippe. Elle le surnomma «fondateur», lui donna le titre de «consul», lui attribua le privilège de Promantie (droit de consulter l'oracle avant les autres) et lui érigea une statue dorée à l'or fin. L'assemblée de l'Amphictyonie lui confia la présidence des Pythia, en 346 av. J.-C. et elle l'accepta en tant que membre, à la place des Phoci-diens, qualité qu'il pouvait transmettre à ses descendants.

Mais les péripéties du sanctuaire de Delphes ne s'arrêtèrent pas là et la paix ne dura que 7 ans.

LA 4ÈME GUERRE SACRÉE
ET L'INTERVENTION DE PHILIPPE II

À l'issue des Guerres Médiques, les Athéniens avaient dédié à l'oracle de Delphes (en même temps que les autres butins de guerre) des boucliers qui s'étaient retrouvés en leur possession suite aux diverses batailles. En dessous de l'endroit où étaient exposés ces boucliers, ils avaient apposé l'inscription suivante: «Athéniens, lorsque les Perses et les Thébains combattirent contre les Grecs».

Les Thébains ne protestèrent pas face à cette dédicace outrageante. Suite à la reconstruction du sanctuaire d'A-pollon, au cours de la troisième Guerre Sacrée, les Athéniens réapposèrent cette inscription.

Au cours de l'assemblée de l'amphictyonie, à l'automne de l'an 340 av. J.-C. (ou plus probablement au printemps de l'an 339 av. J.-C.), les représentants des Locriens de l'Ouest, encouragés par les Thébains partisans du roi Philippe II, déposèrent une proposition de condamnation des Athéniens en soutenant que l'édification de leur dédicace, à une époque où Delphes était occupée par les Phocidiens, constituait une offense. L'orateur Eschine entreprit de répondre aux accusations des Locriens puis après avoir effectué une enquête, il découvrit des décisions très anciennes qui interdisaient de cultiver la plaine de Krisaion. Quand Eschine lut les décisions tombées dans l'oubli, les participants de l'assemblée sursautèrent. Ils coururent jusqu'à un promontoire depuis lequel on apercevait toute la plaine et ils furent bouleversés à la vue des édifices et des cultures.

Le lendemain, les Amphictions et les habitants de Delphes marchèrent sur la plaine prohibée en brandissant des armes et des outils agricoles et ils se livrèrent à la destruction des ouvrages qui s'étaient élevés ici. Mais les habitants d'Amphissa arrivèrent également sur les lieux et les Amphictions furent contraints de s'enfuir.

Lors de la réunion exceptionnelle du mois de juin de l'an 339 av. J.-C. (qui fut marquée par l'absence des représentants des Athéniens et des Béotiens, mais à laquelle siégèrent en revanche les hiéromnémon, les pylagores des autres nations et le roi Philippe) on décida de déclarer la guerre sacrée aux habitants d'Amphissa. Ces derniers parvinrent à enrayer l'avancée de l'armée des Amphictions, en promettant de s'acquitter d'une amende et d'exiler les responsables des profanations. Lors de la session normale qui eut lieu à l'automne de l'an 339 av. J.-C., on décida de mener une seconde campagne contre les habitants d'Amphissa. C'est le roi Philippe qui fut à la tête de cette expédition.

Philippe II saisit l'occasion pour s'attaquer aux Athéniens et aux Thébains qui étaient son réel objectif.

Ces derniers s'allièrent, craignant l'expansion macédonienne. Après s'être emparé d'Amphissa et avoir puni les profanateurs, le roi Philippe progressa en Grèce centrale, et en 338 av. J.-C. il vainquit la ligue armée des Athéniens et des Thébains, à Chéronée. Dès lors, le rôle des macédoniens dans le Manteion (lieu de l'oracle) et plus généralement dans les affaires grecques, allait devenir prédominant. Philippe II utilisa Delphes comme un précieux centre d'influence politique et il interrogea parfois l'oracle, mais rien ne prouve qu'il ait accordé une grande importance à cette activité.

Les travaux de reconstruction du temple se poursuivirent durant plusieurs années et lors de l'inauguration de l'édifice en 330 av. J.-C., «des théories» (cortège d'ambassadeurs d'un dieu, théores) venues de la plupart des villes grecques accoururent.

ÉPOQUE HELLÉNISTIQUE

C'est avec Alexandre le Grand et ses successeurs que débuta en Grèce la période hellénistique, qui apporta des changements notables. Le système grec qui prévalait jusqu'alors connut une mutation radicale. Les fameuses entités politiques constituées par les cités-États, sont dissoutes puis réunies en des entités politiques plus vastes, des fédérations, qui avaient souvent un régime autoritaire. Parallèlement à ces monarchies hellénistiques il existait toujours quelques fédérations traditionnelles telles que la Confédération achéenne, la Confédération étolienne etc... Jusqu'à cette époque, la religion et la mythologie avaient été considérées comme les deux mères nourricières des créations les plus nobles de l'esprit grec.

Pièce de monnaie des Étoliens, émise après la victoire de ces derniers sur les Galates, en 279 av. J.-C., et représentant le trophée des habitants de Delphes orné d'Étolia (l'héroïne des Étoliens).

Pourtant, au fil des siècles, l'élan connut par la création mythologique s'affaiblit et la religion officielle perdit sa ferveur et son impétuosité. On assista à l'apparition d'un penchant pour le doute et la réflexion, qui s'accrurent grâce à l'essor de la philosophie et du Syncrétisme. Ces mutations commencèrent à ébranler les anciennes convictions. Les riches offrandes continuèrent à affluer à Delphes, mais le rôle consultatif de l'oracle commença à s'amoindrir.

Au IIIe siècle av. J.-C., le sanctuaire de Delphes se trouva sous la domination de la Confédération étolienne. À cette époque, les royaumes et les fédérations interrogeaient seulement rarement les oracles pour les problèmes majeurs de la cité. Les questions avaient le plus souvent rapport avec des affaires de culte. L'apparition de nouveaux courants philosophiques commença également à porter atteinte à la foi divinatoire.

En 279 av. J.-C., les Galates, conduits par Brennus, envahirent Delphes, dans l'intention de piller la ville et de s'emparer des trésors de l'oracle. Les Étoliens, qui repoussèrent les Galates, succédèrent aux Macédoniens, prenant en charge la protection du sanctuaire. C'est dieu qui chassa les Barbares avec la foudre et en provoquant la chute de pierres. En hommage à leur victoire, les Étoliens, nouveaux maîtres des lieux, instituèrent une nouvelle fête, les Sôteria, qui avait lieu chaque année en l'hommage de Zeus Sotêra et d'Apollon. Les rois de Pergame vouaient un respect particulier à Delphes. Ils firent don de nombreux ex-voto, enrichirent le sanctuaire par des offrandes et des galeries, manifestèrent un grand intérêt pour les arts et les lettres, et ils érigèrent bien entendu leurs propres statues en des endroits exposés du sanctuaire de Delphes.

DELPHES ET L'HÉGÉMONIE ROMAINE

En 191 av. J.-C., les Romains chassèrent les Étoliens et ils régnèrent sur l'oracle. Une ère nouvelle débuta alors pour le sanctuaire et pour la Grèce entière.

En 168 av. J.-C. le général romain Paul Émile vainquit le roi macédonien, Persée, à Pydna, et il renforça l'influence de Rome sur les affaires grecques. C'est à Delphes que le vainqueur Paul Émile érigea sa statue, sur le haut socle que Persée avait fait construire afin d'y dresser sa propre statue.

Durant la période de l'hégémonie romaine, de nombreuses villes qui possédaient de vastes sanctuaires, comme Delphes et Athènes, et étaient alliées à Rome, constituaient des cités-États libres.

Les Romains furent toutefois en grande partie responsables du déclin qui frappa les grands sanctuaires grecs, vers le Ier siècle av. J.-C. Ils furent incapables d'empêcher le pillage de Delphes, tant par les Barbares que par les empereurs romains eux-mêmes.

En l'an 109 av. J.-C., on assista à une attaque galate, menée par Minucius Rufus contre Delphes. En 87/86 av. J.-C., lors du siège d'Athènes, Sylla s'empara de sommes significatives provenant des trésors de Delphes, ainsi que d'une jarre en argent (dédiée par Krissaio), afin de couvrir ses frais lors de la guerre de Mithridate. Officiellement, il ne s'agissait bien sûr que d'emprunts, mais très vite les Grecs s'aperçurent que les généraux romains avaient cessé de protéger leurs sanctuaires et commençaient à les dépouiller.

En 83 av. J.-C., les Mèdes (peuple originaire de Thrace) assaillirent Delphes. Ils pillèrent le sanctuaire et incendièrent le temple. La légende veut que ce soit à cette époque que s'éteignit pour la première fois la flamme qui brûlait depuis des siècles à l'intérieur du temple et l'édifice connut des dommages importants.

La ville ne put échapper au déclin inéluctable. Les empereurs romains trouvèrent à Delphes une situation particulièrement complexe. Auguste et les autres empereurs, qui souhaitaient assurer la continuité des traditions grecques, devaient à la fois raviver la flamme d'un oracle sacré, mais aussi celle d'une ville et d'une confédération.

Parallèlement aux efforts qu'il déploya afin de ranimer le culte, Auguste réhabilita également les Amphictyonies. Au Ier siècle de l'ère chrétienne (en l'an 67), Néron se rendit à Delphes lors de sa célèbre tournée des jeux grecs et il participa aux jeux pythiques. Les responsables du sanctuaire de Delphes n'hésitèrent pas à comparer Néron à Héraclès, et à l'occasion de sa visite ils représentèrent en relief les exploits symboliques sur des plaques de marbre de l'orchestre du théâtre. Malgré cela, Néron ordonna que les trésors qui décoraient le sanctuaire soient confisqués, il s'empara de 500 statues en bronze du temple, il les transporta à Rome afin de décorer son nouveau palais («Maison d'or») et il installa dans la ville une colonie d'anciens soldats.

Plutarque, qui vers la fin du 1er siècle et le début du deuxième siècle de l'ère chrétienne fut le prêtre d'Apollon

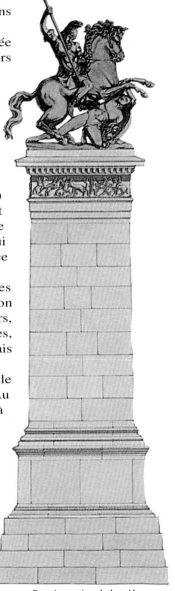

Représentation de la stèle de Paul Émile.

23

Delphinios, indique qu'alors que durant la période de prospérité le sanctuaire avait besoin de deux ou trois pythies, à l'époque où il était prêtre, une seule pythie suffisait à vaticiner.

Les autorités romaines prirent des initiatives majeures concernant la préservation du sanctuaire. En l'an 90 de l'ère chrétienne, l'empereur Domitien remit le sanctuaire en état et on assista par la suite à d'importantes tentatives visant à préserver la popularité des Pythies et d'une manière plus générale de toutes les manifestations qui révélaient le prestige du sanctuaire de Delphes. Ces efforts furent particulièrement significatifs sous le règne des empereurs Hadrien, Septime Sévère et Caracalla.

En l'an 125 de l'ère chrétienne, Hadrien ordonna la continuation des jeux Pythiques, qui parvinrent à se maintenir au premier plan des jeux traditionnels au même titre que les jeux Isthmiques, les jeux de Némée et bien sûr les jeux olympiques.

Les jeux pythiques résistèrent au temps sans rien perdre de leur popularité, témoignant ainsi du maintien de l'unité culturelle, tout au moins en apparence, dans une Grèce fatiguée. Les Pythies bénéficiaient du soutien impérial.

Sous le règne de l'empereur Hadrien, la Grèce connut une nouvelle et longue période de félicité. L'empereur était non seulement philhellène, mais il effectua en outre de grands travaux de construction dans la Grèce entière. Au cours de ses périples à Delphes, il ordonna l'édification d'ouvrages majeurs dans le nouveau quartier de Pylaia.

Il apporta un soin particulier à l'aménagement et à l'entretien de la ville, à l'exploitation des eaux, et principalement au remembrement et aux clauses de cessions de l'héritage.

D'autre part, grâce à leur générosité, Hérode Atticus et les Antonins permirent à la ville et au sanctuaire de renaître.

La souveraineté romaine engendra cependant une baisse de la fréquentation de l'oracle. Les principales raisons à cela furent le développement d'une tendance à l'incrédulité, mais aussi la concurrence créée par les devins privés.

D'une manière générale, Delphes et Rome étaient unies par des liens très étroits fondés sur le respect mutuel. Dès le début les empereurs grecs furent conscients du fait que la puissance morale de ce sanctuaire antique constituait un support idéal à leur politique. C'est cet élément qui détermina la qualité de leurs rapports.

Mais les relations entre Delphes et Rome ne furent pas toujours idylliques. La conduite de Néron démentit en effet les impressions trompeuses des habitants qui pensaient jouir d'un traitement de faveur. Durant la période romaine les habitants de Delphes accordaient une importance particulière aux visites des hommes de lettres de l'époque, à savoir, les orateurs, les poètes et les sophistes, et ils étaient très fiers des statues qu'ils leur avaient dédiées. La ville conservait l'ambition d'être le centre et le gardien de l'hellénisme, un lieu de rencontre notoire, ainsi qu'un précieux conservateur de la tradition culturelle.

Entre 342 et 344 de l'ère chrétienne, Flavius Félicien, prêtre d'Apollon, reçut des magistrats de la garde prétorienne, des garanties concernant la protection du temple face aux perturbateurs chrétiens. Ces garanties reflétaient le désir de Rome de nouer des liens avec l'un des sanctuaires les plus prestigieux et les plus réputés de l'Antiquité.

La Fin Inévitable du Sanctuaire de Delphes

La fin du sanctuaire de Delphes était cependant inévitable. Bien qu'il ait été vénéré à Delphes, l'empereur Constantin subtilisa de nombreuses œuvres d'art, destinées à enrichir sa nouvelle capitale, Constantinople. Et lorsque l'empereur Julien envoya à Delphes son ami, le praticien Horibace afin qu'il demande conseil à la Pythie, le déclin était alors irrémédiable.

«Dites au roi que la luxueuse demeure est tombée,
Phoibê n'a plus de toit, ni de lauriers divinatoires, ni de source
prophétique. Même l'eau a perdu sa voix».

En dépit de l'attention que lui portaient les Romains, Delphes ne put échapper au déclin. Constantin instaura le christianisme et Apollon n'avait pas sa place dans cette nouvelle religion. Les institutions traditionnelles aussi bien que les institutions introduites par les Romains tombèrent en désuétude.

Au IVe siècle, le prêtre de Delphes avait demandé aux autorités romaines de lui apporter leur protection afin de pouvoir dispenser son culte en toute liberté. Mais le nouveau monde avait adopté le christianisme et s'était étroitement assimilé à la nouvelle religion.

L'esprit de Delphes était désormais mort. En 394, Théodose le Grand ordonna la fermeture de tous les sanctuaires et il condamna le culte antique. La région fut ensevelie sous la terre, suite à des chutes de pierres.

Au fil des ans les œuvres d'art et les édifices de Delphes furent pillés et détruits. Plus tard, pendant une période relativement longue, une communauté chrétienne s'installa sur le site, qui fut finalement abandonné de manière définitive au VIIe siècle de l'ère chrétienne.

À la place du sanctuaire antique, on vit se construire le village de Kastri. Il fallut plus de quinze siècles aux archéologues pour révéler à la lumière du jour les vestiges du sanctuaire le plus vénéré de l'Antiquité, reflet de l'hellénisme, et qui constituait «l'omphalos (le nombril) de la terre».

L'ORACLE

L'ORACLE

LA

«CLÉROMANTIE»

LES

JEUX PYTHIQUES

L'ORACLE

L'oracle de Delphes constituait sans aucun doute le centre de prophétie le plus célèbre et il conserva son prestige et sa réputation durant toute l'Antiquité.

La suprématie de la réputation de l'oracle est prouvée par le fait que toute forme connue de divination lui était attribuée par les écrivains de l'Antiquité. La légende veut que Parnasse, le célèbre héros de la montagne, ait été le premier à découvrir le don de prophétie, en observant les comportements des oiseaux. Delphos et Amphictyon, les héros réputés de la ville et de l'amphictyonie, découvrir la prophétie en examinant les entrailles et en interprétant les rêves et les présages. Les Pyrkoi, prêtres locaux, rendaient des prophéties en examinant les flammes du feu et les sacrifices. Et enfin les Thries, ces célèbres nymphes ailées qui prophétisaient en mangeant du miel, ont été associées par Philochore aux voix prophétiques utilisées par Delphes lors de la "Kliromanteia".

L'inspiration de la divination extatique constitue généralement un signe caractéristique du culte d'Apollon et durant les premières années, dans d'autres régions, ce culte était exercé par un homme. À Delphes, le choix d'une femme pour tenir ce rôle s'explique par le culte antérieur de Gaia (ou Gâ, «la Terre»), qui existait dans la région et qui fut finalement acceptée par les prêtres de Delphes.

Au cours des années classiques, la réputation de l'oracle reposa sur la Pythie. Dans les sources anciennes, la Pythie est rarement représentée comme un personnage et cela en raison du fait qu'elle prononçait rarement un oracle de manière consciente, mais que sa personnalité était provisoirement habitée par Apollon et qu'elle parlait simplement avec l'inspiration du dieu et en son nom. Elle n'était donc que le moyen d'expression du dieu.

Vue aérienne
du temple d'Apollon.

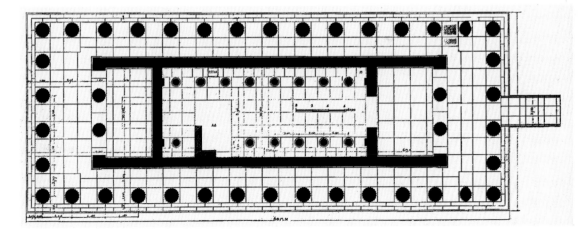

Représentation de la façade
Est du temple d'Apollon.

La référence la plus ancienne de la littérature faite à la Pythie est due au poète Théogne. L'historien grec Diodore mentionne que la Pythie était à l'origine une jeune Vierge. Mais un jour, le Thessalien Echécrate s'en éprit et après l'avoir enlevée, il la violenta. Les habitants de Delphes votèrent alors une loi interdisant à toute vierge de tenir le rôle de la Pythie. Celle-ci devait désormais être une femme âgée de plus de 50 ans qui serait vêtue de blanc, telle une vierge, en mémoire de la précédente jeune prophétesse.

Dès l'instant où la nouvelle Pythie entrait en fonction, elle devait mener une existence irréprochable. Après son élection elle devait quitter son mari et ses enfants et obéir à d'autres règles restrictives. Elle devait s'installer dans sa propre maison, à l'intérieur du sanctuaire, respecter certaines règles religieuses et mener une vie entièrement dévouée au dieu et à ses devoirs sacrés.

Plutarque indique qu'il n'existait pas de procédé spécifique concernant le choix de la Pythie. Cette dernière n'était pas originaire d'une famille de l'aristocratie ou d'une classe sociale particulière. C'était une simple villageoise qui ne possédait aucun talent spécial et aucune éducation particulière.

À l'origine on comptait seulement une pythie, plus tard, durant la période de prospérité du site et lorsque le nombre des fidèles s'accrut en même temps que les besoins du sanctuaire, elles étaient au nombre de trois.

L'un des honneurs préférés que les habitants de Delphes avaient l'habitude de décerner à des cités ou à des citoyens était le droit de «promantie», à savoir le droit de consulter l'oracle avant les autres.

Les habitants de Delphes prétendaient bien entendu à la première place, mais ils accordaient souvent la place suivante à une cité favorite ou à quelque individu. Le privilège de promantie constituait en tout cas un honneur pour celui qui le possédait. La vaticination devait suivre un processus spécifique, qui concernait autant la Pythie que le Théoprope, c'est à dire celui qui venait consulter l'oracle.

Selon les descriptions de Plutarque, les prophétisassions duraient une journée entière, de l'aube jusqu'au crépuscule. Au lever du jour, la Pythie se purifiait avant la consultation, en faisant ses ablutions dans la source de Castalie (c'est dans cette source également que se baignaient les devins et les saints, qui assistaient à la consultation). Ensuite la Pythie respirait les fumées dégagées par les feuilles de laurier et la farine d'orge, qui brûlaient dans le foyer sacré. La légende veut qu'elle ait renforcé son inspiration en mâchant des feuilles de laurier ou en buvant de l'eau sacrée.

Une autre étape de ce rituel préliminaire, consistait pour les prêtres à s'assurer que le dieu Apollon était favorable à une demande de vaticination.

Thémis et Égée
Sur cette représentation, Thémis
tient une carafe contenant de l'eau
de la source sacrée et une branche
de laurier, symboles du pouvoir
prophétique pour la Pythie.
(Ve siècle av. J.-C., Berlin Ouest,
Musée Archéologique).

La méthode utilisée consistait à offrir une chèvre en sacrifice. Avant d'être sacrifié, l'animal devait donner un bon présage par les tremblements de tous les membres de son corps, de la tête jusqu'aux pattes. Pour parvenir à un tel résultat, on aspergeait l'animal d'eau froide et on répétait ce geste jusqu'à ce que l'on obtienne le présage souhaité ou jusqu'à ce que l'on se soit assuré que le jour n'était pas favorable à une demande d'oracle. Le but de ce cérémonial était sans aucun doute de faire trembler l'animal, tout comme le faisait la pythie quand elle entrait en transe. L'animal devait être normalement constitué et n'avoir aucune tare naturelle, et si finalement il tressaillait avec vigueur, cela constituait une preuve irréfutable que le moment était propice à un oracle. Dans le cas contraire, toutes les demandes seraient annulées pour le jour concerné.

Lorsque le signal attendu était obtenu, l'animal était sacrifié à l'extérieur du temple (probablement sur l'autel qui constituait une offrande des habitants de Chios), afin que tout le monde sache qu'il s'agissait d'un jour propice à la consultation de l'oracle. La Pythie était alors autorisée à entrer dans l'adyton (lieu prophétique à l'accès réservé), elle buvait de l'eau à la source de Castalie ou de Cassotis, elle mâchait des feuilles de laurier et montait finalement sur le trépied sacré.

On accordait une importance particulière au trépied. À Delphes tout spécialement, Apollon lui réservait une utilisation singulière puisqu'il s'en servait comme trône. Les arts et la littérature présentent en outre le dieu assis sur la bassine, à l'endroit même où se tenait la Pythie lors des consultations prophétiques. On ne sait pas exactement pourquoi le dieu transforma le trépied en son siège et en celui de son représentant. Ce qui est sûr cependant c'est que la Pythie était quant à elle assise sur le trépied sacré parce que lors des prophéties elle n'était pas elle-même, mais elle représentait l'instrument du dieu, qui à travers elle exprimait sa volonté.

Entre temps les officiants de l'oracle de Delphes se purifiaient eux-aussi dans les eaux de Castalia. Les sources littéraires indiquent que le corps des officiants était constitué par le grand-prêtre, qui était appelé «prophète», les prêtres, appelés «saints», et quelques représentants de Delphes, qui étaient désignés par tirage au sort.

Enfin, tous les pèlerins qui venaient consulter l'oracle se purifiaient dans la même source, car c'est seulement après ce préliminaire que l'accès à l'oracle leur était autorisé, parfois selon le privilège de promantie et parfois par tirage au sort.

Une fois tous prêts, ils formaient un cortège de fête et se dirigeaient vers le temple. Afin de pouvoir accéder au temple, les pèlerins devaient offrir à l'extérieur, sur l'autel, une sorte de gâteau sacré, appelé *pélanos*, dont le coût était particulièrement élevé. C'était la charge minimum dont le pèlerin devait s'acquitter afin de pouvoir consulter l'oracle. Il était ensuite conduit à l'intérieur du temple, escorté par l'ambassadeur (théore), les prêtres et le représentant de sa ville, qui devaient le conseiller au cours de la cérémonie. Sur l'autel, sur lequel brûlait la flamme incandescente, il devait offrir un animal en sacrifice, preuve de sa foi et de son respect envers le dieu.

Au cours des années préhistoriques, les habitants de Delphes conservaient une partie de l'animal sacrifié pour eux-mêmes.

Le sacrifice une fois effectué, le pèlerin était conduit dans l'adyton du temple, au fond de la cella. C'est là que se trouvait la Pythie, assise sur le trépied sacré, le trône du dieu, qui enjambait une faille du sol. Aucune femme n'avait le droit de pénétrer dans l'adyton. Le pèlerin s'asseyait dans la partie la plus étroite de la salle et il devait «avoir des pensées pures et prononcer des paroles favorables», comme on le lui avait conseillé. Ni le pèlerin, ni le prophète ne voyait la pythie qui était cachée derrière un paravent, et se trouvait déjà dans un état étrange et mystérieux de transe.

Le prophète soumettait la question à la pythie – qui avait déjà été informée de la requête soit par écrit soit par oral – et transmettait la réponse à l'intéressé. Les sources historiques n'indiquent pas si le pèlerin pouvait entendre avec clarté les paroles prononcées par la Pythie. Mais certains écrits révèlent cependant qu'elle ne parlait pas sur un ton normal mais qu'elle vociférait et hurlait, donnant sa réponse par des cris confus et incohérents, puisqu'elle était en transe. Elle perdait momentanément sa propre personnalité, pour devenir l'instrument du dieu et dévoiler ses conseils infaillibles. Le prophète interprétait ses paroles et après les avoir formulées en vers (comme le voulait la tradition), il donnait au pèlerin la réponse écrite à sa demande. Une fois la réponse donnée, le demandeur quittait le temple. Les réponses de la Pythie

Représentation de l'Adyton.

étaient confuses et équivoques, et le pèlerin les interprétait comme il le souhaitait. D'une manière générale les réponses ambiguës et les prophéties équivoques de l'oracle, qui nécessitaient des talents divinatoires supplémentaires afin de pouvoir être interprétées, sont restées dans l'histoire. Et seul l'avenir venait confirmer ou démentir les interprétations qui avaient été faites. Le qualificatif de «Loxias» (qui en Grec signifie oblique, qui va de biais), qui servait à caractériser Apollon était donc tout à fait justifié.

Les autorités de Delphes ne fournissaient aucun éclaircissement ou aucune explication officielle et le fidèle devait avoir recours aux exégètes de sa terre natale ou d'ailleurs, afin que ces derniers lui procurent une explication de la prophétie qu'il avait reçue. Il était généralement admis que le dieu s'exprimait par énigmes. La plupart des réponses qui ont été sauvegardées, sont rédigées à la première personne. Cela s'explique par le fait que la Pythie ne répondait pas aux demandes de manière consciente, mais qu'elle n'était que l'instrument servant à exprimer les paroles divines.

Un exemple caractéristique d'oracle obscur et ambigu est celui qui fut donné à Crésus lorsqu'il se battait contre Cyrus, et qui nous est relaté par Hérodote: «si Crésus traverse le fleuve Alès, une grande nation sera détruite». Crésus interpréta l'oracle à sa guise et il déclara la guerre aux Perses. Mais la nation qui fut détruite ne fut pas celle de Cyrus, comme le pensait Crésus, mais la sienne, le royaume de Lydie.

L'hypothèse selon laquelle la Pythie tombait en état d'extase ou d'hypnose fut mise en doute, car ni l'eau de la source, ni les feuilles de lauriers ne produisent de tels effets, et on ne peut en outre garantir l'existence dans l'adyton, d'une faille, d'où selon la légende s'échappait des exhalaisons qui auraient hypnotisé la Pythie. On supposa donc qu'après avoir goûté à l'eau et aux feuilles de laurier, la pythie se trouvait simplement sous l'influence d'Apollon, qui prophétisait par sa bouche.

Plutarque indique que dans un passé très lointain, la pythie ne dispensait des prophéties qu'une fois par an, à l'occasion du septième jour du mois delphique «Bysios» (février – mars), qui correspondait au début du printemps, et était considéré comme le jour anniversaire du dieu Apollon. Mais dès le VIe siècle av. J.-C., en raison de l'accroissement des demandes d'oracle, les prophéties étaient rendues chaque mois, toujours le septième jour du mois, sauf pendant les trois mois d'hiver où le dieu quittait Delphes pour se rendre dans le Nord. Durant ces mois, il cédait son sanctuaire à Dionysos, le dieu de la fête et de l'ivresse.

Représentation de Crésus sur une amphore datant de 500 av. J.-C., Paris Musée du Louvres.

LA «CLÉROMANTIE» (prophétie par tirage au sort)

Comme nous l'avons indiqué plus haut, on constate l'existence d'une véritable activité extatique à Delphes, dès les années préhistoriques. À une époque plus lointaine, on appliquait la méthode des «lots sacrés» également appelés «Thries». Cette méthode se poursuivit également durant la période historique en raison de l'importante vague de fidèles qui désiraient obtenir le conseil du dieu et ne pouvaient être satisfaits en l'espace de seulement 9 jours par an.

D'une manière générale, le système de la cléromantie du clergé avait un lien très ancien avec Delphes. On raconte en effet que les Thries, ces nymphes qui personnifiaient les «lots», résidaient sur le Parnasse et qu'elles auraient servi de nourrices à Apollon. Ce style de prophétie fut inventé par Apollon lui-même, lorsqu'il était encore enfant. Avant de prononcer des présages, les Thries mangeaient du miel, pensant que cela les mettrait en transe. (Pindare donne le nom d'«Abeilles» à ces prêtresses d'Apollon du sanctuaire de Delphes).

Les prophéties de l'oracle étaient abritées dans le chaudron du trépied sacré. Le présage était soit tiré au sort du chaudron, soit il tombait du récipient que l'on faisait bouger dans un mouvement particulier. Le premier cas (où le présage était tiré) inspira plus tard l'expression répandue «ἀνεῖλεν ὁ Θεός» (signifiant que c'est dieu qui rendait l'oracle).

L'oracle découlait toujours de l'interprétation des signes qui se trouvaient sur le présage, que l'on avait tiré du chaudron.

On instaura le rite de la «Cléromantie» durant les jours pendant lesquels la pythie ne s'asseyait pas sur le trépied pour vaticiner. Ces lots étaient probablement des fèves peintes en blanc ou en noir afin de donner respectivement des réponses favorables ou défavorables. Elles portaient parfois également les noms de souverains, héros ou dieux potentiels, en l'honneur desquels les pèlerins devaient faire des sacrifices.

Les rares références faites à cette méthode par les sources écrites indiquent la faible importance de la cléromantie face à la prophétie extatique, qui était beaucoup plus réputée. Le rituel de la cléromantie avait sans doute lieu en public. Il est probable que la Pythie effectuait ce cérémonial dans la cour à ciel ouvert du temple ou dans la galerie de l'entrée. Il est clair que les prophéties de la pythie, qui avaient lieu seulement une fois par mois, étaient entourées d'un cérémonial prestigieux et particulièrement soigné; alors que la cléromantie se tenait durant n'importe quel jour des neuf mois de l'année, elle nécessitait moins de dépenses, moins d'efforts et on ne la considérait jamais comme infructueuse ou néfaste.

Il est cependant évident que lorsque l'on fait référence aux oracles de Delphes, on entend par cela la parole d'Apollon envoyée par l'intermédiaire de sa prêtresse assise sur le trépied, qui n'était autre que le trône sacré du dieu.

LES JEUX PYTHIQUES (PYTHIA)

C'est au cœur du sanctuaire de Delphes qu'avaient lieu les deuxièmes jeux les plus importants de Grèce, les Pythia. L'origine de ces jeux se perd dans les différents mythes. Ils avaient pour but de rappeler la victoire du dieu face au Python et de sa fuite dans la vallée de Tempé afin de se purifier.

Au départ les jeux étaient organisés tous les huit ans et ils avaient un caractère exclusivement musical, avec des hymnes en l'honneur du dieu Apollon, au son de la lyre. À l'issue de la première guerre sacrée, les Amphictyons réorganisèrent les jeux en s'inspirant des jeux d'Olympie et ils eurent donc lieu tous les quatre ans. En dehors des épreuves musicales on instaura en outre des concours hippiques et gymniques.

Les vainqueurs des Pythia étaient récompensés par une couronne de laurier - l'arbre d'Apollon - provenant d'une branche qui était coupée sur le laurier le plus ancien de Tempé par un enfant dont les deux parents étaient encore vivants. Les Pythia se tenaient à trois ans d'écart des jeux olympiques, au cours du deuxième mois delphique, «Boucatios» (août – septembre) et à partir du IVe siècle av. J.-C., ils se déroulèrent durant le quatrième mois delphique, «Héraios» (octobre). Avant l'ouverture des jeux, une trêve sacrée (ekecheiria) de trois mois était proclamée entre tous les Grecs. Cela correspondait à la suspension de toute opération guerrière, afin de rendre hommage au dieu Apollon. Chaque ville envoyait à Delphes un ambassadeur (théore). Les Athéniens envoyaient également à Delphes une théorie (cortège d'ambassadeurs) spéciale, la Pythaïde, et ils organisaient des fêtes distinctes ainsi que des représentations théâtrales.

Les Pythia duraient de 6 à 8 jours et Plutarque indique que le premier jour avait lieu le Stepterion ou Septerion (fête de la «Grande Année»). On assistait tout d'abord au sacrifice de trois taureaux puis à la reconstitution de la scène symbolique de l'assassinat de Python par Apollon. Le deuxième jour était consacré au sacrifice de 100 taureaux, en l'honneur du dieu Apollon. Le grand cortège, formé par les prêtres, les émissaires des villes, les athlètes et la foule des fidèles, se dirigeait vers le vaste temple d'Apollon et là, on procédait à l'hécatombe (dans l'Antiquité, sacrifice de cent bœufs), sur le vaste autel de Chios. Durant le troisième jour on organisait un banquet de cérémonie, au cours duquel on mangeait les bêtes qui avaient été sacrifiées le jour précédent. Le quatrième jour était consacré aux épreuves musicales et dramatiques, avec des hymnes en l'honneur du dieu, au son de la lyre. Durant les cinquième et sixième jours on assistait aux épreuves gymniques, qui comprenaient le stade (course d'environ 600 pieds), le diavlos (course de vitesse de la longueur de deux stades), le dolichos (course de fond), le pentathlon, la lutte, la boxe et le pancrace (sorte de catch). Enfin le septième et huitième jour (si les épreuves n'étaient pas encore achevées) étaient consacrés aux concours hippiques, qui étaient les plus majestueuses de toutes les épreuves. Le nom des vainqueurs des Pythia était inscrit sur un tableau et les athlètes avaient le droit d'ériger leur statue à l'intérieur du sanctuaire. Parmi les concours musicaux on distinguait le «nome citharédique d'Apollon» (cantate accompagnée de la cithare) et le «nome pythique» (représentation du meurtre de Python). Les concours gymniques et hippiques avaient au départ lieu dans la plaine de Krissa.

Mais au cours de la deuxième moitié du Ve siècle av. J.-C., on assista à la construction d'un stade au pied des Phédriades, qui devait dès lors accueillir les épreuves gymniques et probablement également les concours musicaux. Plus tard, les épreuves musicales avaient lieu au sein du théâtre. La première Pythia fut organisée en 582 av. J.-C. Lors de ces jeux, Clisthène, le tyran de Sicyone, remporta la course de chars et il dédia ensuite son char au dieu Apollon.

Joueur de flûte et ménestrel lors d'un concours de chant. Vase à figures rouges datant du VIe siècle av. J.-C. New York, Metropolitan Museum.

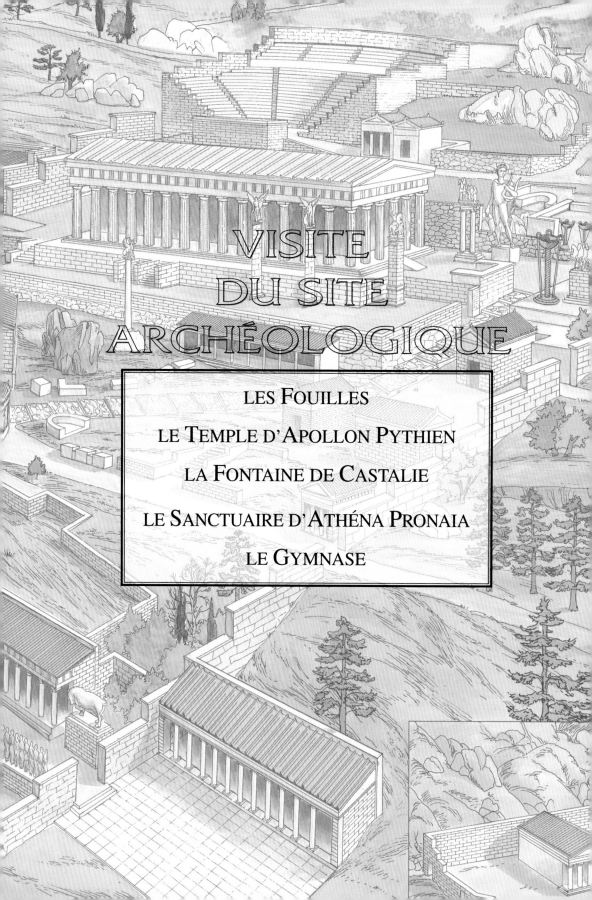

VISITE DU SITE ARCHÉOLOGIQUE

LES FOUILLES

Les vestiges du célèbre sanctuaire de Delphes ont été découverts grâce aux fouilles menées par l'École Française d'Archéologie. Bien avant le XVe siècle ap. J.-C., de nombreux visiteurs et archéologues de toutes nationalités étaient passés par Delphes.

Les premières fouilles des vestiges débutèrent en 1840 sous la direction de l'Allemand O. Muller et de E. Curtius. Ces travaux, relativement restreints, furent poursuivis par les Français Wescher et Foucart, en 1860, le Français Haussoulier, en 1880, et l'Allemand Pomtow, en 1887, qui découvrirent des éléments importants et effectuèrent des études essentielles.

Cependant afin de pouvoir réaliser des fouilles archéologiques sérieuses, il fallait déplacer le petit village de Kastri, qui était construit sur les vestiges. Le puissant séisme de 1870 joua un rôle majeur dans l'accélération de ce processus, obligeant en effet, les habitants à demander leur transfert. C'est à cette époque également que le Département Grec d'Archéologie manifesta pour la première fois un quelconque intérêt pour le site et que l'on pu assister aux premiers mouvements de transfert du village à un autre endroit.

En 1891, l'École Française d'Archéologie fut autorisée à effectuer des fouilles sur le site – aux dépens des américains et des allemands, qui manifestèrent pourtant un intérêt similaire -, sous la direction de Th. Homolle.

Les fouilles systématiques débutèrent en 1892, suite à l'expropriation du petit village par le gouvernement grec et à son transfert à l'emplacement actuel. Des travaux de longue haleine révélèrent à la lumière du jour le sanctuaire d'Apollon et tous ses vestiges majeurs qui parvinrent à échapper à la catastrophe, nous fournissant ainsi de précieux témoignages sur le passé. Les fouilles firent l'objet de publications par l'École Française d'Archéologie d'Athènes.

Photographies des premières fouilles archéologiques sur le site de Delphes.

Le site archéologique de Delphes, si riche en monuments anciens et à la beauté unique, constitue sans aucun doute un musée à ciel ouvert qui résume de manière très variée l'art et l'histoire de la Grèce antique.

LÉGENDES DU SITE ARCHÉOLOGIQUE DE DELPHES

1. Taureau des Corcyréens
2. Ex-voto des Arcadiens
3. Monument des Lacédémoniens.
4. Cheval de Troie.
5. Ex-voto des Athéniens.
6. Les sept contre Thèbes.
7. Les Épigones.
8. Les rois d'Argos.
9. Monument hellénistique.
10. Statue en bronze de Philopoemen.
11.-12. Deux bases de statues.
13.-14. Deux niches.
15. Monument des Tarentins.
16. Trésor des Sicyoniens.
17. Entrelacs Cnidiens.
18. Monument des Étoliens.
19. Trésor des Siphniens.
20. Ex-voto des Liparéens.
21. Trésor des Thébains.
22. Niche rectangulaire.
23. Trésor des Béotiens.
24. Trésor des Mégariens.
25. Trésor des Syracusains.
26. Trésor des Clazoméniens.
27. Trésor des Cnidiens.
28a. Omphalos en pierre.
28. Trésor des Potidéates.
29. Trésor archaïque anonyme.
30. Trésor des Athéniens.
31. Asclépiéion.
32. Fontaine archaïque.
33. Bouleutérion.
34. Base d'Hérode Atticus.
35. Fontaine du sanctuaire de Gaia.
36. Rocher de la Sibylle.
37. Ex-voto des Béotiens.
38. Estrades.
39. Monument à trois colonnes.
40. Trésor archaïque anonyme.
41. Sphinx des Naxiotes.
42. Portique des Athéniens.
43. Trésor des Corinthiens.
44. Trésor des Cyrénéens.
45. Prytanée.
46. Trésor archaïque anonyme.
47. Trésor de Brasidas et des Acanthiens.
48. Monument des Tarentins (deuxième).
49. Trépied de Platées.
50. Char des Rhodiens.
51. Trésor archaïque anonyme.
52. Ex-voto des Messéniens de Naupacte.
53. Monument de Paul Émile.
54. Portique d'Attale Ier.
55. Oikos (Maison) d'Attale (Dionysion).
56. Offrandes d'Attale Ier.
57. Statue d'Attale Ier.
58. Statue d'Eumène II.
59. Trésor anonyme.
60. Autel de Chios.
61. Palmier en bronze.
62. Monument d'Aristainéta.
63. Socle de la statue du roi Prusias.
64. Apollon Sitalcas.
65. Trépied des Deinoménides.
66. Cassotis (source).
67. Statue des généraux Étoliens.
68. Base des Corcyréens.
69. Base en forme de fer à cheval.
70. Offrandes de Daochos II.
71. Mur polygonal archaïque.
72. Colonnes des danseuses.
73. Base d'un ex-voto anonyme.
74. Temple de Néoptolème.
75. Pierre de Cronos.
76. Monument du IVe siècle av. J.-C.
77. Lesché des Cnidiens.
78. Vestiges de l'ex-voto des Mésséniens.
79. Temple d'Apollon.
80. Sanctuaire des Muses.
81-87. Trésors archaïques anonymes.
88. Offrandes de Cratéros.
89-90. Grand Portique des Athéniens.
91. Trésor anonyme.
92. Théâtre.
93-94. Trésors anonymes.
95. Poteidanion.

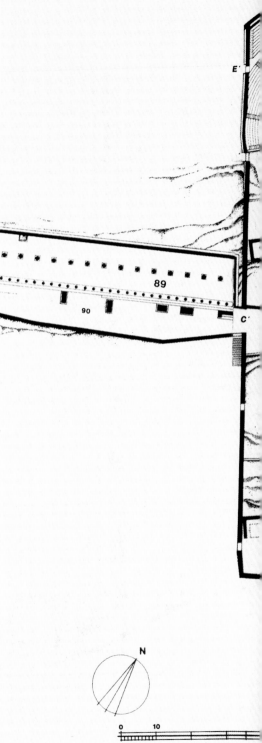

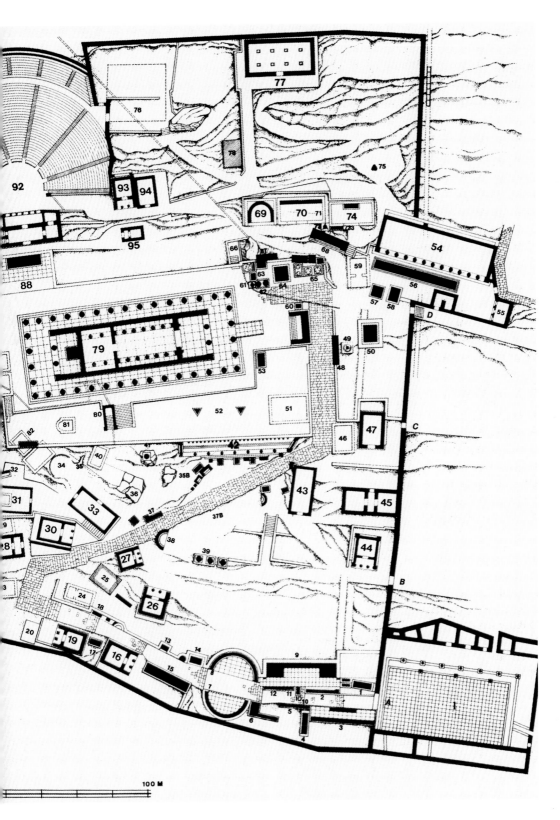

Ce document photographique représente le site archéologique de Delphes.

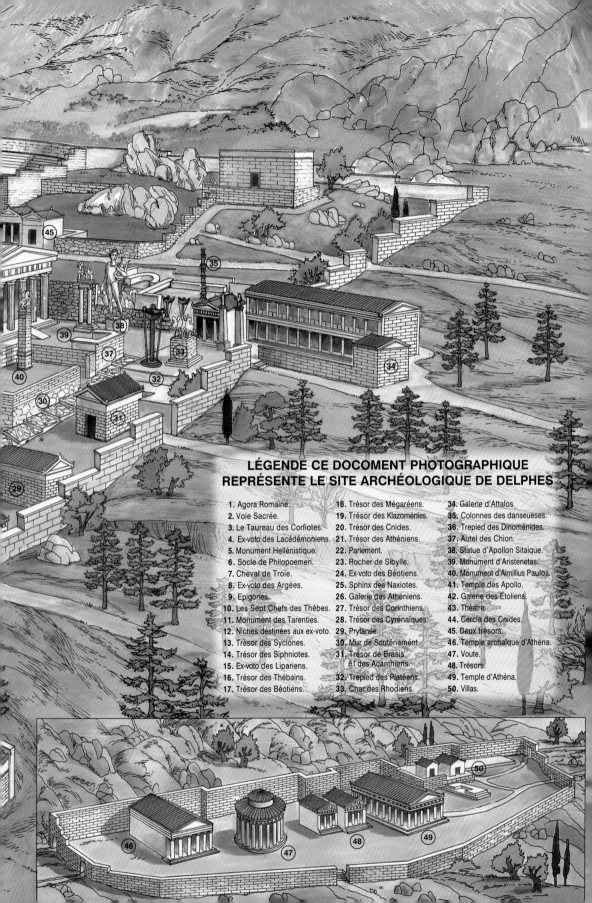

LÉGENDE CE DOCOMENT PHOTOGRAPHIQUE REPRÉSENTE LE SITE ARCHÉOLOGIQUE DE DELPHES

1. Agora Romaine.
2. Voie Sacrée.
3. Le Taureau des Corfiotes.
4. Ex-voto des Lacédémoniens.
5. Monument Hellénistique.
6. Socle de Philopoemen.
7. Cheval de Troie.
8. Ex-voto des Argées.
9. Epigones.
10. Les Sept Chefs des Thébes.
11. Monument des Tarenties.
12. Niches déstinées aux ex-voto.
13. Trésor des Syclones.
14. Trésor des Siphniotes.
15. Ex-voto des Lipariens.
16. Trésor des Thébains.
17. Trésor des Béotiens.
18. Trésor des Mégaréens.
19. Trésor des Klazoménies.
20. Trésor des Cnides.
21. Trésor des Athéniens.
22. Parlement.
23. Rocher de Sibylle.
24. Ex-voto des Béotiens.
25. Sphinx des Naxiotes.
26. Galerie des Athéniens.
27. Trésor des Corinthiens.
28. Trésor des Cyrénaïques.
29. Prytanée.
30. Mur de Soutènement.
31. Trésor de Brasis et des Acanthiens.
32. Trepied des Platéens.
33. Char des Rhodiens.
34. Galerie d'Attalos.
35. Colonnes des danseueses.
36. Trepied des Dinoménides.
37. Autel des Chion.
38. Statue d'Apollon Sitaique.
39. Monument d'Aristenetas.
40. Monument d'Aimillius Paulos.
41. Temple des Apollo.
42. Galerie des Étoliens.
43. Théatre.
44. Cercle des Cnides.
45. Deux trésors.
46. Temple archaïque d'Athéna.
47. Voute.
48. Trésors.
49. Temple d'Athéna.
50. Villas.

LE TEMPLE D'APOLLON PYTHIEN

Au pied des Phédriades Rodini, en contrebas de cet énorme rocher, on peut apercevoir le sanctuaire d'Apollon, le temple vénéré du célèbre dieu. Le sanctuaire de Delphes était entouré d'un mur d'enceinte (péribole), comportant plusieurs portes, tantôt de forme polygonale, datant du VIe siècle av. J.-C.; tantôt de forme symétrique (comme celle de la façade sud), datant du Ve siècle av. J.-C. Le mur d'enceinte se trouvait dans le prolongement d'un promontoire rectangulaire, probablement de forme trapézoïdale, dont la façade sud était irrégulière et plus étroite et ayant pour dimensions maximales 195 x 135 m.

Au fil des ans, le sanctuaire sacré d'Apollon ne connut aucune transformation, mis à part les extensions réalisées au IIIe siècle av. J.-C. pour les ex-voto d'Attale Ier sur la façade Est et pour la galerie des Étoliens sur la façade Ouest. La voie sacrée traverse en serpentant l'ensemble du sanctuaire. L'entrée principale de ce dernier se trouve à l'extrémité S.E. du site (entre le Musée et la fontaine de Castalie) et demeure inchangée depuis la période de l'Antiquité, où elle était franchie par les pèlerins.

En face de l'entrée principale du sanctuaire se trouve une place rectangulaire pavée datant de la période romaine tardive. Sur la façade nord de cette place on pouvait apercevoir des galeries de style ionique abritant des magasins et dont certains fragments sont encore debout. On suppose que c'est au sein de cette **agora romaine** qu'étaient vendus des objets relatifs au culte d'Apollon tels que des petites idoles, des trépieds etc..., que les pèlerins achetaient afin d'en faire don au dieu.

Plus tard, on assistait à cet endroit à de somptueux cortèges lors des différentes fêtes organisées dans le sanctuaire, telles que les Pythiques. Les seuls vestiges qui ont été sauvegardés des splendeurs passées de cette région sont des consoles, des socles de statues ainsi que certaines colonnes ioniques de la galerie nord, qui furent restaurées en 1977.

La voie sacrée menant au temple d'Apollon débute depuis la porte principale du sanctuaire, devant laquelle se trouvent quatre marches. La voie sacrée mesure entre 4 et 5 mètres de largeur et elle se trouve à un niveau plus bas qu'auparavant. Les dalles la recouvrant datent de la période byzantine, époque à laquelle le sanctuaire de Delphes abordait une ère de décadence. La voie sacrée était ornée de part et d'autre de trésors et de monuments votifs qui avaient été dédicacés par différentes villes. Ces offrandes étaient le témoignage du respect et de la foi qui étaient voués au puissant dieu, mais aussi de la prospérité

L'agora romaine.

La voie sacrée.

économique des villes qui étaient à l'origine de ces dédicaces. Il s'agit de réels petits chefs-d'œuvre, dont certains sont disposés à des endroits avantageux, tandis que d'autres se trouvent à des emplacements moins valorisants, en fonction de la puissance et de la richesse des villes effectuant ces offrandes.

Le premier monument situé sur la droite après l'entrée principale, est un fragment du socle en pierre du **Taureau de Corfou**. Le taureau en bronze qui se dressait sur le socle était l'œuvre du sculpteur Théopropos (originaire d'Égine) et il fut dédié au dieu par les Corfiotes, vers 480 av. J.-C. Selon les récits de Pausanias, l'œuvre fut offerte grâce à la dîme prélevé sur le profit d'une grande pêche, justement parce qu'un taureau avait été à l'origine de la pêche de nombreux thons. Le socle mesure 4 x 5,20 m et il se trouve plus bas que son emplacement d'origine. Comme nous l'indique l'inscription située sur la façade nord, il est disposé à cet endroit depuis le IVe siècle av. J.-C.

À une faible distance de là et toujours sur la droite se trouve le socle de **l'ex-voto des Arcadiens**. Pausanias indique, à tort, qu'il s'agissait uniquement de l'ex-voto des habitants de Tégée. Sur ce socle étroit de 9,4 mètres de long se dressaient 9 statues en cuivre représentant des dieux et des héros et héroïnes mythiques d'Arcadie, ainsi qu'Apollon, Nikê, Callisto, Arcas, Aphidas, Élatos, Azan, Triphylos et Érasos. Les Arcadiens firent don de ce monument après leur assaut victorieux en Laconie grâce à l'aide du général thébain Épaminondas, en 370/69 av. J.-C.

D'après Pausanias, sur la gauche en face de l'ex-voto des Arcadiens, se trouvaient 37 statuettes en bronze, qui étaient abritées dans une antichambre rectangulaire ornée de 8 colonnes sur sa façade. Il s'agissait de **l'ex-voto des Spartiates**, effectué à l'issue de leur victoire brillante sur les Athéniens lors de la bataille navale d'Aigos-Potamos en 404 av. J.-C.

Les 9 premières statues représentaient les Dioscures, Zeus, Apollon, Artémis, Poséidon en train de couronner Lysandre, le devin Agias et Hermon. Les 28 autres statues représentaient les généraux et les amiraux spartiates ainsi que les compagnons de Lysandre et des Dioscures, qui remportèrent la grande victoire. Guidés par un sentiment de vanité et d'égoïsme, les spartiates disposèrent cet ex-voto à côté de ceux déjà existants représentant des athéniens vaincus.

À côté de l'ex-voto des Lacédémoniens, se dresse le socle d'un immense **Cheval de Troie** en bronze, qui fut offert par les Argiens suite à leur victoire sur les Spartiates à Thyréa en 414 av. J.-C. Il s'agit d'une œuvre du sculpteur Antiphanès d'Argos. Elle constituait une dédicace faite à Apollon et fut prélevée sur le butin de guerre.

Toujours d'après les récits de Pausanias, devant le Cheval de Troie se trouvait **l'ex-voto des Athéniens**, érigé ici en mémoire de la victoire de Marathon

Représentation de l'ex-voto des Arcadiens, des Spartiates, des Athéniens et des Argiens. Également représentation du monument des Rois et du Cheval de Troie.

et en hommage au stratège athénien Miltiade. Il comprenait 16 statues représentant Athéna, Apollon, le vainqueur Miltiade et 7 héros célèbres d'Athènes. Ces statues, qui étaient l'œuvre de Phidias, ne furent pas dédiées directement après la bataille de Marathon, mais seulement quelques années plus tard (sans doute sous le règne du général Cimon), vers 460 av. J.-C., lorsque l'honneur du grand vainqueur fut racheté. La réalisation de cet ex-voto s'effectua grâce à la dîme prélevée sur le butin de la bataille de Marathon. Beaucoup plus tard, les statues de 3 nouveaux héros notables furent ajoutées à l'ex-voto. Il s'agissait du roi Antigonos de Macédoine, de Démétrios Poliorcète et du roi Ptolémée d'Égypte.

Dans la même rangée et juste à côté du Cheval de Troie on érigea deux autres **ex-voto des Argiens**. Le premier comprenait 7 statues, disposées sur un socle rectiligne. Elles représentaient les «Sept contre Thèbes», ces chefs mythiques des Argiens qui partirent en campagne contre les Thébains et renversèrent Étéocle après avoir vaincu Sparte à Oinoè, en 456 av. J.-C. Parmi les statues, on pouvait distinguer celle d'Amphiaraos sur son char, qui était conduit par l'aurige Baton. Toutes ces statues furent réalisées grâce à la dîme prélevée sur le butin de la bataille d'Oinoè et elles étaient l'œuvre des sculpteurs Hypatodôros et Aristogeiton.

Le second ex-voto des Argiens fut, selon Pausanias, réalisé grâce au butin dont s'étaient emparés les spartiates lors de la bataille d'Oinoè (456 av. J-C.). Il s'agit d'un groupe de statues disposées sur un socle semi-circulaire relativement bien conservé, mesurant 12 mètres de diamètre et où étaient représentés les Sept Épigones, c'est à dire les héritiers des «Sept contre Thèbes», qui après être entrés en campagne contre Thèbes, en prirent le pouvoir et la détruisirent. Sur le monument des épigones on distingue une inscription en grec ancien qui mentionne simplement «Ἀργεῖοι ἀνέθεν τῷ Ἀπόλλωνι» (qui signifie «les Argiens ont consacré à Apollon»).

Juste en face, on peut admirer un second monument en arc de cercle, que les Argiens dédicacèrent après la fondation de Méssène, en 369 av. J.-C. Épaminondas et les Thébains s'associèrent à cette dédicace. Ce socle recouvert de dalles mesurait 12 mètres de diamètre interne et il soutenait les dix statues de rois et reine d'Argos de l'Antiquité. On distinguait celles de Danaos, d'Hypermnestre, de Lyncée, d'Abas, d'Acrisios, de Danaé, de Persée, d'Électryon, d'Alcmène, et d'Héraclès. **Le monument des rois**, œuvre du sculpteur Antiphanès, fut d'ailleurs érigé dans l'intention de sceller l'alliance entre les Argiens et les Thébains de cette époque, mais aussi afin de suggérer les liens étroits unissant les Argiens et les Thébains, puisque selon la mythologie c'est à Thèbes qu'Alcmène engendra Héraclès, qui était Argien d'origine. Cela favorisa particulièrement le rapprochement souhaité par les Argiens avec la cité alors très puissante de Thèbes.

Derrière les ex-voto situés sur la droite, se trouve une grande niche rectangulaire, datant peut être de la période hellénistique. Certains chercheurs pensaient qu'elle abritait le vaste trésor des Lacédémoniens, mais cette version est incorrecte et nous ne possédons par conséquent aucune information précise sur ce monument.

En face de la dédicace anonyme on peut apercevoir les vestiges d'un socle rectangulaire qui supportait un entrelacs en bronze représentant le cavalier Philopoemen, stratège de la ligue Achéenne, en train de tuer le roi de Sparte, Machanidas, lors de la bataille de Mantinée (207 av. J.-C.). Sur la façade du socle on distingue l'inscription votive écrite en grec ancien et signifiant:

«Le public des Achéens la dédia à Philopoemen en raison de son honnêteté et de sa bonté envers eux».

Les deux socles de statues ainsi que les deux niches situées après le monument des Rois Argiens, n'ont pas pu être identifiés avec précision.

À gauche de la voie sacrée et à côté du monument des Épigones, se trouvent les vestiges du socle de **l'ex-voto des Tarentins**, en hommage à l'une de leurs victoires sur les habitants de Messapia, en 473 av. J.-C. Cet ex-voto était composé de statues en bronze représentant des femmes prisonnières des Messapiens, ainsi que des chevaux. Il fut érigé grâce à la dîme du butin qui fut rapporté après la guerre. Il s'agissait d'œuvres du sculpteur d'Argos Agéladas, datant des premières décennies du Ve s. av. J.-C. Quatre fragments en pisé sont encore debout et trois d'entre eux portent des inscriptions.

À côté de l'ex-voto des Tarentins, on distingue les vestiges du **trésor des Sicyoniens**. Il s'agit d'un édifice de style dorique en tuf, orné de deux colonnes entourées de pilastres sur la façade, qui fut édifié vers 500 av. J.-C. par une oligarchie qui renversa les Orthagorides, les tyrans de Sicyone. Il est important de souligner que pour la construction de cet édifice on réemploya des matériaux provenant de deux édifices plus anciens, en tuf, qui furent construits par le tyran de Sicyone, Clisthène. L'un de ces deux édifices était un bâtiment circulaire (tholos) orné de 13 colonnes doriques, mesurant 6,32 m de diamètre et datant de 580 av. J.-C. environ. L'autre édifice était un petit monoptère dorique d'une surface d'environ 4,20 x 5,50 m, doté de 4 ou 5 colonnes et orné de 14 petites métopes rectangulaires en relief. Quatre de ces métopes, qui sont encore en relativement bon état, se trouvent dans le musée et elles sont d'une importance particulière pour l'évolution de la sculpture grecque. Ce monoptère abritait sans doute le char de Clisthène avec lequel ce dernier remporta la victoire lors des Jeux Pythiques de 582 av. J.-C. Il ne reste aujourd'hui que quelques vestiges des fondations en tuf du trésor archaïque des Sicyoniens.

1,2. Vestiges du trésor des Sicyoniens.
3. Métope en tuf du même trésor.

2

3

Selon Hérodote, le plus beau et le plus élégant édifice du sanctuaire d'Apollon était le **trésor des Siphniens**. Il fut construit en marbre de Paros vers 525 av. J.-C. et d'après les récits de Pausanias il ne constitue pas le souvenir d'une quelconque bataille mais était probablement un signe de richesse et de prospérité économique, puisqu'il fut construit grâce à la dîme prélevée sur les profits réalisés par les mines d'or de cette petite île. Il s'agissait d'un superbe édifice ionique, dont on peut encore apercevoir quelques vestiges aujourd'hui.

Représentation de la façade du trésor des Siphniotes.

Sa façade était ornée de deux caryatides (au lieu des habituelles colonnes) qui soutenaient l'entablement à la décoration très riche; ainsi que d'une frise ornée de superbes bas reliefs, entourant les quatre côtés du trésor sur une longueur totale de 29,63 m, ainsi qu'un fronton. L'édifice couvrait une surface totale de 8,55 x 6,12 mètres. Parmi ces splendides sculptures, qui constituent un exemple exceptionnel de la sculpture archaïque tardive, celles qui ont été sauvegardées se trouvent au musée de Delphes.

Au «carrefour des trésors», la voie sacrée bifurque de manière abrupte et aborde la montée.

Sur la droite, en face du trésor des Siphniens on peut distinguer les vestiges d'un trésor en tuf sur lequel sont gravées de nombreuses décisions en faveur des Mégariens. Il s'agissait probablement du **trésor des Mégariens**.

Dans l'angle formé par la voie sacrée on aperçoit les ruines du mur de soutènement du trésor des Béotiens et dans l'angle S.O. du sanctuaire se dressent les vestiges du **trésor** dorique **des Thébains**, qui fut érigé suite à la bataille de Leuctres, en 371 av. J.-C. En face de ce trésor se trouvait «l'omphalos», un ombilic en pierre, à proximité duquel se dressaient les vestiges d'un petit édifice qui, selon Pausanias, abritait des socles en schiste bleu sur lesquels se dressaient des statues. Il s'agit des dédicaces des Lipariens effectuées suite à leur victoire dans une bataille navale les ayant opposés aux Tyrrhéniens.

À proximité de là se trouvent les ruines d'un trésor qui fut probablement dédié par les habitants de Potidéa (en Chalcidique), ainsi que celles d'un autre trésor archaïque qui n'a pas encore été identifié.

Après la bifurcation de la voie sacrée on aperçoit un édifice majeur, **le trésor des Athéniens**. C'est l'un des rares monuments du sanctuaire qui a pu être reconstitué par les archéologues. Ce trésor, qui est en relativement bon état, fut restauré entre 1903 et 1906 par le Français Replat grâce aux fonds alloués par la municipalité d'Athènes. Il s'agit d'un édifice de style dorique doté sur sa façade de deux colonnes en marbre de Paros, qui sont entourées de pilastres. Ce trésor constituait une offrande faite à Apollon à l'issue de la bataille de Marathon en 490 – 489 av. J.-C., ou selon d'autres, suite au rétablissement de la démocratie athénienne au cours de la dernière décennie du VIe s. av. J.-C. (505-500 av. J.-C.). L'édifice mesure 9,68 x 6,62 m et il possède 30 métopes ornées de représentations en relief ainsi que des frontons sculptés. Le fronton Est représentait probablement la rencontre de Thésée et de Pirithoos tandis que le fronton ouest symbolisait une scène de lutte. Parmi les 30 métopes du trésor, les 24 qui ont été le mieux conservées sont exposées au Musée et elles constituent des échantillons d'une grande importance pour l'étude de la sculpture attique de la période archaïque tardive. Des moulages en plâtre de ces métopes ont en outre été disposés dans l'édifice. Les six métopes de la façade Est représentent des scènes de luttes entre amazones, qui symbolisent la victoire des Grecs sur les barbares, tandis que les six métopes de la façade Ouest représentent l'enlèvement des bœufs de Géryon par Héraclès. Sur les 9 métopes de la façade Nord on distinguait les Travaux d'Hercule tandis que les 9 métopes correspondantes de la façade sud représentaient les exploits du héros athénien Thésée.

Représentation de la façade Est du trésor des Athéniens.

Les murs du trésor sont recouverts d'inscriptions qui y furent gravées dès le IIIe siècle av. J.-C. et il s'agissait principalement de déclarations en l'honneur des Athéniens. Parmi ces inscriptions, dont la plupart sont ornées de couronnes, on distingue des déclarations concernent la théorie athénienne, des déclarations relatives «aux artisans de Dionysos» et enfin deux hymnes majeurs louant Apollon, qui sont gravés sur le mur de la partie sud du trésor et sont ornés de signes musicaux accompagnant le texte. Le long de la façade sud du trésor on pouvait apercevoir un socle sur lequel se dressaient en pleine nature les trophées de la bataille de Marathon, comme l'indique l'inscription de taille disposée sur le socle, signifiant que: «suite à leur victoire sur les Mèdes, lors de la bataille de Marathon, les Athéniens firent don de ce monument votif à Apollon».

En face du trésor des Athéniens, de l'autre côté de la voie sacrée, se dresse le **trésor des Syracusains**, édifice de style dorique, qui comme l'indique Pausanias, fut érigé par les Syracusains après leur victoire sur les Athéniens, en Sicile, en 413 av. J.-C. Juste à côté se trouvent les vestiges du trésor des Cnidiens. Il s'agissait d'un édifice d'ordre ionique réalisé en marbre de Paros et qui fut construit avant la prise de Cnide par les Perses, en 544 av. J.-C.

1

2

1, 2. Le trésor des Athéniens.
*3. Portion de la Voie Sacrée, à gauche le trésor des Athéniens,
à côté, les vestiges du Bouleutérion et en face, fragment d'une colonne ionique.*

3

En face, et à côté du trésor des Athéniens, se trouvent les vestiges du **Bouleutérion** (Sénat) de Delphes. Il s'agit d'un édifice en tuf, de forme oblongue, datant de l'époque archaïque et dans lequel se réunissaient 15 députés ainsi que les prytanes de Delphes.

À proximité d'ici se trouvent certains des vestiges les plus anciens et les plus vénérés du site. Il s'agit du **sanctuaire de Gaia** (la déesse Terre), où se situait également l'oracle originel de Gaia et de sa fille Thémis qui était gardé par un terrible python, bien avant qu'Apollon ne devienne le maître des lieux. C'est également ici que fut vénéré Poséidon, qui était au départ associé à l'élément marin. Le temple sacré est délimité par un cercle formé par d'énormes rochers, entourés d'un petit mur d'enceinte irrégulier, qui abritait une source.

Un rocher se dressant à proximité de là et qui était tombé des Phédriades il y a plusieurs milliers d'années, serait, selon Pausanias et Plutarque, le **rocher de Sibylle**. On pense que c'est ici que la première Sibylle émit des prophéties. Elle avait d'ailleurs prédit la guerre de Troie.

Le petit rocher situé un peu plus haut est le **rocher de Léto**. Selon la légende c'est ici que se dressa Léto en tenant Apollon encore enfant, qui tua de ses flèches le Python et s'empara de l'oracle.

Le rocher de Sibylle.

Le site fut entièrement détruit lorsque débutèrent, en 548 av. J.-C., les travaux d'édification du grand temple dont entre autre ceux du mur polygonal de remblai.

Derrière un autre rocher se dressait le **Sphinx des Naxiens**, disposé sur une stèle d'environ 12 mètres de haut. Cet ex-voto en marbre de Naxos fut réalisé vers 550 av. J.-C. Le socle comporte une inscription datant de 332 av. J.-C., qui rappelle le droit de prédiction qui avait été accordé aux Naxiens.

À proximité de la source du sanctuaire de Gaia, qui était gardée par le serpent Python, se trouvent les vestiges d'une estrade construite par le riche sophiste athénien Hérode Atticus. Plus à l'Ouest on distingue une petite fontaine en bon état, qui faisait partie d'un petit sanctuaire d'Asclépios. Son temple fut construit sur les ruines d'un trésor archaïque qui selon certains chercheurs serait l'œuvre des Étrusques.

Devant les rochers de Sibylle et de Léto, on aperçoit plusieurs socles disposés le long de la voie sacrée et au milieu desquels on a découvert le socle de **l'ex-voto des Béotiens**.

Juste en face, la voie sacrée traversait une place circulaire que les Grecs anciens appelaient **Alos**. Cette place, qui mesurait 16 m de diamètre et qui jadis était probablement entourée de bancs, constituait un lieu de réunion. C'est ici que se tenaient les fêtes du Septerion lors des Jeux Pythiques. Il s'agissait d'un drame religieux symbolisant l'assassinat de Python par Apollon. Un enfant, dont les deux parents étaient en vie, jouait le rôle d'Apollon. Les prêtres, qui tenaient des torches enflammées, conduisaient l'enfant par un escalier jusqu'à une cabane afin qu'il vise de ses flèches le Python qui étant censé se cacher à cet endroit. Ensuite l'enfant s'en allait soi disant pour la région de Tempé, afin de se purifier comme l'avait fait le Dieu Apollon. En 1939, l'archéologue P. Amandry découvrit deux galeries renfermant de nombreux vestiges datant de la période archaïque.

Tout autour de l'Alos, on distinguait d'autres édifices majeurs tels que le **trésor des Clazoméniens** et le **trésor des Cyrénéens**, qui fut probablement construit entre 350 et 325 av. J.-C. et sur sa droite, le Prytanée qui se trouvait probablement ici. Un peu plus haut on aperçoit les vestiges du trésor du général spartiate Brasidas et des Acanthiens de Chalcidique. La place d'Alos est fermée au nord-ouest par le mur de remblai qui fut construit en 548 av. J.-C., lors de l'édification du vaste temple d'Apollon, dit des Alcméonides. Le mur, en maçonnerie de type de Lesbos, était construit dans une structure polygonale particulièrement soignée. Les Grecs anciens y gravèrent plus de 800 décrets officiels, dont la plupart concernaient l'affranchissement des esclaves (entre 200 av. J.-C. et l'an 100 de l'ère chrétienne).

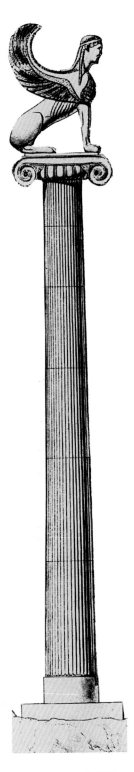

Représentation du Sphinx des Naxiotes.

Le temple d'Apollon.

Représentation de la "galerie des Athéniens", en contrebas du grand temple.

Devant cet édifice et à gauche de la voie sacrée, les Athéniens construisirent, probablement vers 478 av. J.-C., une galerie ionique devant servir à abriter les trophées qui avaient été remportés par les Perses. Le **Portique des Athéniens**, qui mesure 3 mètres de long et seulement quatre mètres de profondeur, se dressait sur une base possédant trois marches, qui soutenait sept colonnes monolithes d'ordre ionique, dont les socles et les chapiteaux, en marbre de Paros, soutenaient à leur tour l'entablement en bois et la toiture.

Le mur situé au fond du portique était orné de décrets publics. Le stylobate porte une inscription votive monumentale en lettres archaïques signifiant que: «les Athéniens dédièrent la galerie, les armes et les acrotères des bateaux après leur victoire sur l'ennemi». Selon P. Amandry le portique abritait les câbles utilisés par Xerxès pour réaliser un pont de bateaux sur l'Hellespont pour faire traverser son armée; ainsi que divers éléments décoratifs de la proue des bateaux, qui avaient été capturés après le siège de Sestos. Le portique renfermait également les butins de guerre subtilisés lors de victoires athéniennes plus récentes et qui furent disposés à cet endroit ultérieurement.

À droite, en face du portique, on distingue les vestiges du **trésor des Corinthiens**. Selon Hérodote ce trésor serait l'œuvre du tyran de Corinthe Cypsélos (657-628 av. J.-C.) et il s'agit du plus ancien trésor de Delphes. Il comprenait un palmier en bronze qui était disposé sur le sol recouvert de serpents et de crapauds. C'est ici que furent transférés tous les précieux ex-voto des rois Lydiens et Phrygiens qui se trouvaient dans le temple d'Apollon suite à la destruction de celui-ci par un incendie, en 548 av. J.-C.

Devant l'entrée du temple d'Apollon on pouvait apercevoir les ruines de l'un des ex-voto les plus vénérés, par les Grecs de cette époque, **l'ex-voto de Platées**. Sur une base circulaire, encore en état, se dressait une colonne en bronze formée de trois serpents enlacés de manière symétrique, qui servait à soutenir un trépied en or. L'offrande fut faite grâce à la dîme du butin dont s'emparèrent les Athéniens, lors de la bataille de Platées qui les opposa aux Perses, en 479 av. J.-C. Sur la colonne serpentine on avait gravé les noms des villes qui avaient pris part à la bataille de Platées. Le trépied en or fut pillé par les Phocidiens lors de la 2ème Guerre Sacrée, tandis que la colonne en bronze fut transportée par l'empereur Constantin dans l'hippodrome de Constantinople, où elle se dresse d'ailleurs encore aujourd'hui.

Devant l'ex-voto des Platées on aperçoit les ruines d'un second **ex-voto des Tarentins**. Derrière cet édifice et à proximité du socle du trépied, se dressait l'ex-voto des Rhodiens composé du char en or du dieu Hélios disposé sur un grand piédestal.

Vues de la galerie des Athéniens.

Représentation de la colonne d'acanthe, ornée de trois danseuses.

Plus au nord se trouvait un portique à deux niveaux de style dorique orné de 11 colonnes sur sa façade et qui fut édifié par le roi de Pergame Attale Ier (241-197 av. J.-C.). Au IVe siècle ap. J.-C., le portique fut transformé en bassin d'eau qui alimentait les thermes situés à l'extérieur du mur d'enceinte (péribole) du sanctuaire.

À proximité du portique d'Attale se dressait **«l'oikos d'Attale»** et devant le portique on distinguait le socle d'offrandes d'Attale Ier ainsi que deux bases élevées qui portaient les statues des deux rois de Pergame, Eumène II et Attale Ier.

À l'ouest du portique d'Attale on aperçoit quelques vestiges d'un autre trésor, à côté duquel se trouve un socle qui devait porter **l'ex-voto des Corfiotes**. Derrière le socle des Corfiotes se trouvait le **«temple de Néoptolème»**, le fils d'Achille, qui d'après la légende aurait été assassiné à Delphes par le prêtre d'Apollon puis enterré à cet endroit.

Plus haut, se trouvait selon Pausanias une «pierre peu grande» sur laquelle on faisait tous les jours des libations d'huile. Un socle en tuf se dresse presque en face du temple de Néoptolème. Il porte l'inscription gravée PAN, qui faisait référence à Pancratès, célèbre entrepreneur de Delphes. Le socle supportait une haute colonne à feuilles d'acanthe qui portait un trépied doté d'un chaudron en bronze. Trois magnifiques danseuses caryatides portaient à leur tour le chaudron sur leur tête. Elles sont aujourd'hui exposées au sein du musée. Il s'agit d'une offrande effectuée par les Athéniens au cours des années 350-320 av. J.-C.

Sur la gauche, un socle oblong abritait 9 statues, comme en témoignent les cavités creusées sur le socle. Il s'agit de **l'ex-voto du Tétrarque** (l'un des quatre magistrats qui dirigeaient la Thessalie) **Thessalien Daochos II**, qui fut ordonné hiéromnémon (délégué d'un peuple à l'Amphictionie) à Delphes durant la période comprise entre 336 et 332 av. J.-C. Les 9 statues représentaient le dieu Apollon, l'auteur de l'offrande ainsi que des membres de sa famille. Sur la partie frontale du socle on peut lire des inscriptions qui concernaient chaque statue. À côté de l'ex-voto de Daochos se dresse un socle en forme de fer à cheval, qui portait au moins 17 statues datant des années hellénistiques.

Sur la voie sacrée se trouvaient deux socles ornés d'inscriptions, qui soutenaient des trépieds et des victoires (nikê) en or valant au moins 50 talents. Il s'agissait des **ex-voto des Deinoménides**, de Gélon, le tyran de Syracuse, et de son frère Hiéron, qu'ils offrirent au sanctuaire après leur victoire sur les Carthaginois à Himère, en 481 av. J.-C. Sur la gauche, on distingue aujourd'hui encore deux socles dotés d'inscriptions que l'on identifia comme étant l'ex-voto de Polyzale et de Thrasybule.

Encore plus à gauche se trouvent d'autres offrandes majeures: un grand socle carré qui portait la statue colossale d'Apollon Sitalcas, haute de 15,5 mètres; un socle destiné à **l'ex-voto d'Aristainéta**, qui était soutenu par deux hautes colonnes doriques; la base du palmier en bronze d'Eurymédon. Le palmier soutenait une statue dorée à l'or fin de la déesse Athéna. Il s'agissait d'une offrande des Athéniens suite à leur victoire sur les Perses, à l'embouchure du fleuve Eurymédon, au cours de la décennie 470-460 av. J.-C. (probablement en 468 av. J.-C.).

Derrière les vestiges du palmier qui sont encore debout aujourd'hui, se dresse la **stèle du roi de Bithynie Prusias II**. Au sommet du socle se trouvait une statue du roi Prusias à cheval. Il s'agissait d'une offrande effectuée par la ligue étolienne, comme l'indique l'inscription gravée en haut du socle. Au cours des dernières années on a réussi à localiser l'emplacement exact de la source Cassotide, derrière la stèle de Prusias. La source jouait un rôle majeur dans la préparation rituelle des séances d'oracles. On pensait d'ailleurs que ses eaux jaillissaient depuis la terre dans l'adyton (lieu secret où la Pythie recevait l'inspiration des dieux) du temple d'Apollon.

Au cours de sa visite du site, le visiteur s'apercevra sans aucun doute que l'édifice qui dominait durant les heures de gloire du sanctuaire, était le temple d'Apollon.

Stèle du roi de Bithynie Prusias.

En bas, sur la gauche, on distingue les socles des trépieds des Deinoménides.

Sur la place située devant le grand temple, se trouvent les vestiges du grand autel d'Apollon. L'autel, sur lequel se déroulent les sacrifices, était une **offrande des habitants de l'île de Chios**, comme l'indique l'inscription située en haut du monument: CHIOI APOLLONI TON BOMON (signifiant que: «les habitants de Chios dédièrent l'autel à Apollon»). Une autre inscription ornant la base de l'autel fait référence au droit de promantie (droit de consulter l'oracle avant les autres) qui avait été accordé aux habitants de Chios. Ces derniers pouvaient

recevoir les oracles juste après les habitants de Delphes. La date exacte de l'offrande est inconnue. On sait seulement que les habitants de Chios firent don de l'autel au dieu vers le Ve siècle av. J.-C., soit en gage de reconnaissance pour leur libération ou lors du soulèvement des villes ioniennes contre les Perses (499-94 av. J.-C.) ou encore après la bataille navale de Mycale, en 479 av. J.-C.

L'autel mesurait 4,60 m de haut et 8,58 mètres de long et il n'était pas exactement orienté dans l'axe du temple car il fut érigé à l'emplacement de l'ancien autel, qui se trouvait à cet endroit avant l'incendie de 548 av. J.-C. Il était construit en marbre noir de Chios et comprenait trois marches qui étaient également en marbre noir. En revanche, la base et le sommet de la toiture sont en marbre blanc.

Au cours du IIe s. av. J.-C., on édifia à côté de l'autel une haute colonne qui portait la statue dorée à l'or fin du roi de Pergame, Eumène II, **offrande effectuée par les Étoliens**. Un peu plus loin, au S.-O. de l'autel, se dressait une grande stèle qui servait à soutenir la statue équestre en bronze du Romain Paul Émile, qui remporta la victoire sur Persée de Macédoine, à Pydna, en 168 av. J.-C. Dans ses récits, Plutarque indique que cette statue des années hellénistiques avait été disposée sur une grande colonne carrée. On peut apercevoir aujourd'hui encore les bas-reliefs du socle, qui représentent des scènes de batailles équestres opposant Macédoniens et Romains.

C'est ici que se trouvent les vestiges de l'édifice le plus notable du sanctuaire, qui abritait «l'omphalos», le centre du monde, pour les Grecs anciens et qui répandait son rayonnement dans la Grèce entière, le **temple d'Apollon**.

Le temple qui se dresse aujourd'hui est le troisième d'une série de temples qui se succédèrent à cet endroit. Il fut construit au IVe s. av. J.-C. Le mythe veut que le premier temple du dieu - qui avait la forme d'une cahute – ait été construit en feuilles de laurier venant de Tempé. Le second temple était en plume: il était fait de cire d'abeilles et de plumes de cygnes et aurait été confectionné par des abeilles. Enfin, le troisième temple légendaire était en bronze et il était l'œuvre d'Héphaïstos et d'Athéna. Le premier temple des années historiques (quatrième dans l'ordre chronologique) était en tuf et comme l'indique Homère, il aurait été construit par les architectes légendaires

*1. L'autel de Chios
(vu depuis la Voie Sacrée).*
*2. Vue Nord-Ouest
du temple d'Apollon.*

Trophonios et Agamédès. Il s'agissait d'un temple d'ordre dorique, construit au même emplacement que celui que l'on aperçoit aujourd'hui. D'après les vestiges découverts par les fouilles archéologiques, sa construction remonterait au VIIe siècle av. J.-C., vers 650 av. J.-C.

Ce temple fut détruit par un incendie survenu en 548 av. J.-C. L'amphictyonie décida de bâtir un nouveau temple. Les frais de construction, qui s'élevaient à 300 talents, furent couverts par les contributions versées par les états membres de l'amphictyonie, par des dons provenant de l'ensemble du monde hellénique ainsi que grâce aux apports généreux effectués par des chefs d'états étrangers. L'achèvement de l'édifice fut pris en charge par la grande famille athénienne des Alcméonides, qui avait été contrainte à l'exil par Pisistrate et ses fils. L'ouvrage fut terminé en 510 av. J.-C. Le temple, qui mesurait 59,50 X 23,80 m, était d'ordre dorique et possédait 6 colonnes sur la façade et 15 colonnes sur les ailes latérales. Il était en tuf, sauf au niveau de la façade et des sculptures ornant le fronton Est, qui furent réalisées en marbre par les Alcméonides (sur leurs fonds personnels), plutôt qu'en pierre - moins chère - comme le prévoyait l'accord. Le fronton Est en marbre représentait l'arrivée d'Apollon à Delphes sur un char à quatre chevaux où se trouvaient Artémis et

1. Vestiges du mur qui soutenait le temple d'Apollon.

2. Colonnes reconstituées du temple.

3. Façade Est du temple, et sur la droite le socle de Prusias.

Léto, à droite, ainsi que trois kouroi et trois korès, à gauche. Mais ce temple fut détruit à son tour lors d'un séisme, en 373 av. J.-C. Une fois encore, l'amphictyonie ouvrit une souscription panhélladique afin de couvrir les dépenses engendrées par le nouveau temple.

La reconstruction débuta et elle devait être à un stade relativement avancé, lorsqu'elle fut interrompue en raison de la 3ème Guerre Sacrée, en 356 av. J.-C.

En dépit des interruptions et des difficultés rencontrées, le temple fut achevé et inauguré en 330 av. J.-C. Il avait les mêmes dimensions et la même forme que le temple archaïque précédent, possédant 6 colonnes sur les façades étroites et 15 colonnes sur les façades longues, et était également doté d'un pronaos et d'un opisthodome. Les architectes étaient au départ le corinthien Spinthare puis plus tard Xénodore et Agathon. Pour la base, les colonnes et l'entablement, on a utilisé du tufeau recouvert de stuc, tandis que pour le reste du temple on a employé une pierre sombre du mont Parnasse. Les sculptures du fronton, qui furent réalisées par les artistes athéniens Praxias et Androsthénès, étaient en marbre de Paros.

Selon Pausanias, le fronton Est représentait l'«épiphanie» d'Apollon, c'est à dire l'arrivée du dieu à Delphes, tout comme sur le temple précédent des Alcméonides, et le fronton Ouest représentait le coucher du soleil et Dionysos au milieu des Thyades (nom donné aux Ménades).

Les métopes du temple n'étaient pas ornées de représentations mais on y avait disposé des boucliers perses provenant de la bataille de Marathon ainsi que des boucliers gaulois subtilisés suite à l'assaut des Gaulois contre Delphes, en 279 av. J.-C.

L'accès au temple s'effectuait par un plan incliné. Les séismes et les ravages systématiques causés par le fanatisme des chrétiens provoquèrent des dommages irréparables. La reconstitution de l'intérieur du temple est en partie possible grâce aux sources de l'Antiquité et à divers fragments de l'édifice qui ont été retrouvés. Ces informations ne sont toutefois pas suffisantes pour nous permet-tre d'effectuer une description complète et les fouilles archéologiques n'ont pas réussi à apporter la lumière totale sur ce sujet.

Le pronaos du temple portait des maximes des Sept Sages, gravées dans la pierre, telles que «conscience de soi» ou «sans excès», qui professaient un mode de vie régit par la prudence, la mesure et l'éthique. On pouvait également apercevoir une icône en bronze d'Homère ornée sur sa base de l'oracle qu'il avait donné au poète aveugle.

Au-dessus de la porte, entre le pronaos et la cella se trouvait un E couché, qui était en bronze à l'origine puis en or. Sa signification demeure inconnue jusqu'à aujourd'hui. Lorsque Plutarque fut nommé prêtre à Delphes, il écrivit un long discours sur

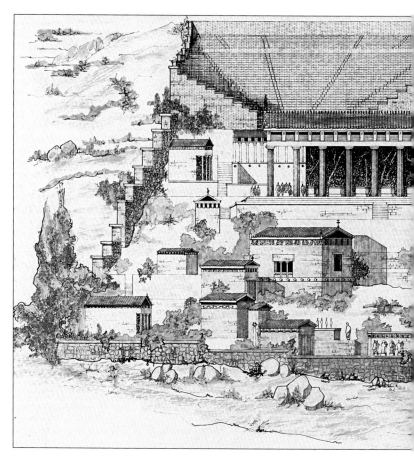

l'interprétation de cette lettre, sans toutefois arriver à élucider le mystère.

La cella était divisée en deux parties. La partie avant abritait un autel dédié à Poséidon, qui était le souverain du sanctuaire avant Apollon, ainsi que les statues des deux Moirès: Zeus Moiragétou et Apollon Moiragétou; le trône en fer de Pindare, sur lequel il s'asseyait et psalmodiait des hymnes à Apollon; ainsi que l'âtre sur lequel le prêtre d'Apollon tua le fils d'Achille, Néoptolème. La seconde partie de la cella était l'adyton sacré au sein duquel on communiquait les prophéties et les volontés divines, par l'intermédiaire de la pythie qui entrait en transe.

C'est ici que se trouvaient le gouffre divinatoire et le trépied, ainsi que l'omphalos et une statue en or d'Apollon. Les eaux de la source Cassotide coulaient au cœur de l'adyton, dont l'agencement exact nous est cependant inconnu. Pausanias indique que seules quelques personnes avaient le droit de pénétrer dans l'adyton. Ce dernier comprenait un opisthodome qui possédait des dimensions équivalentes à celles du pronaos. Aujourd'hui, 6 colonnes ont été en partie restaurées grâce à des matériaux anciens.

Entre les fondations du temple et le mur polygonal se trouvent les vestiges d'une petite fontaine et du **sanctuaire des Muses,** ainsi que les ruines de trésors archaïques. Derrière le temple on

Représentation du temple d'Apollon.

peut également apercevoir des fragments de trésors archaïques qui n'ont pas été identifiés.

Au sud du temple d'Apollon, sur la terrasse qui était entourée par le mur polygonal, se dressait **l'ex-voto des Messéniens de Naupactos** (Lépante). Il s'agit de deux Nikês posées sur des socles triangulaires, qui furent érigées à l'issue de la victoire des Messéniens (qui se battaient aux côtés des Athéniens) face aux spartiates, à Sfactère et à Pylos, en 425 av. J.-C.

Représentation de l'ex-voto de Cratère.

Au nord du temple, on construisit vers le IVe siècle av. J.-C. (après 356 av. J.-C.) un grand mur de soutènement, le fameux Ischégaon (ischo = retenir, gan = terre). Son nom est célèbre en raison des inscriptions relatives aux comptes financiers de la construction du temple qui ornent l'édifice. L'une de ses niches, partiellement conservée, devait abriter une statue.

En poursuivant sa découverte des lieux, le visiteur pourra apercevoir à l'extrémité ouest de l'Ischégaon, **l'ex-voto de Cratère**. Il s'agit d'une antichambre dont la façade était ouverte.

L'ex-voto avait été dédié par le fils de Cratère, lieutenant d'Alexandre le Grand, en l'an 320 de l'ère chrétienne. L'antichambre abritait un groupe statuaire en bronze, qui d'après les descriptions de Plutarque représentait une scène de chasse à Suse, en Perse; des chiens de chasse; Alexandre le Grand en train de se battre avec un lion; et enfin, son stratège, Cratère, accourant pour le sortir d'une situation difficile. Le fils de Cratère, qui portait lui aussi ce nom, fit don du monument suite à la mort de son père. Ces statues étaient les œuvres des grands sculpteurs Lysippe et Léochares. Sur le mur du fond on distingue des vers gravés dans la pierre, racontant la scène représentée par l'entrelacs et rendant hommage à l'auteur de l'ouvrage.

Avant de se diriger vers le théâtre, il convient de passer par la porte C du mur d'enceinte du sanctuaire, afin d'admirer les vestiges d'une vaste galerie. La galerie constituait **l'ex-voto des Étoliens**, construit grâce au butin récolté lors de leur victoire sur les Gaulois, en 279 av. J.-C. Elle possédait une double colonnade qui la divisait en deux. Elle servait au repos et au séjour des pèlerins du sanctuaire en cas de mauvais temps. Au cours de la période romaine, la partie est de l'édifice fut transformée en thermes.

Depuis l'ex-voto de Cratère, un escalier menait au **théâtre du sanctuaire**. Il s'agit de l'un des théâtres grecs les mieux conservés.

Il fut construit en marbre blanc (provenant du mont Parnasse), vers le IVe s. av. J.-C., venant probablement se substituer à un autre théâtre en bois qui se dressait auparavant à cet endroit. Le théâtre comprenait 35 rangées de bancs semi-circulaires, qui étaient séparés par un couloir. La partie supérieure du théâtre était accessible par la porte E de l'enceinte sacrée et se divisait en six rangés de gradins, tandis que la partie inférieure (accessible par la porte D) comportait 7 rangées de gradins, sur 6 niveaux. L'orchestre du théâtre, qui mesure 18,5 m de diamètre, est recouvert de dalles et entouré de conduites servant à éloigner les eaux de pluie. Comme en témoignent les fondations, la scène se divisait en deux parties: devant se trouvait l'avant-scène, qui comptait elle-même trois zones distinctes, et sur l'arrière on distinguait la scène divisée en trois autres zones.

Le théâtre du sanctuaire.

Elle ne devait pas être trop haute afin de ne pas boucher la vue admirable sur le paysage de Delphes.

Comme l'indique une inscription, le théâtre fut reconstruit grâce aux fonds alloués par le roi de Pergame, Eumène II, en 159 av. J.-C. Ce dernier n'envoya pas seulement de l'argent, mais également des esclaves devant participer aux travaux de reconstruction. Vers le Ier s. de l'ère chrétienne, une frise en marbre sculptée fut disposée sur l'avant de la scène. Elle représentait les travaux d'Héraclès et est exposée au musée.

On pense que le théâtre pouvait contenir environ 5.000 spectateurs et il accueillait principalement des représentations dramatiques, particulièrement au cours des grandes fêtes du sanctuaire. Tout autour, les murs portent de nombreuses inscriptions qui constituent des décrets et des décisions publiques concernant principalement l'affranchissement des esclaves. Le théâtre du sanctuaire de Delphes constituait en effet le lieu de rencontre d'une foule de gens.

Un peu après le théâtre on aperçoit les ruines de **l'oikos des Cnidiens.** Il s'agissait d'une salle hypostyle rectangulaire d'une surface de 18,70 X 9,70 m, qui constituait une salle de réunion et de repos. Le toit était soutenu par 8 colonnes en bois, réparties par quatre sur deux rangées. L'entrée de la façade sud menait à une salle qui, le long des murs, était dotée de bancs destinés aux habitués des lieux. L'oikos fut offert par les Cnidiens vers 460 av. J.-C. et il était réputé pour ses magnifiques fresques, qui étaient l'œuvre de Polygnote de Thassos, le grand peintre de la période classique précoce.

Représentation de la Lesché des Cnidiens.

À droite de l'entrée une fresque représentait la prise de Troie (Ilion Persis) et à gauche une autre symbolisait la descente d'Ulysse aux Enfers. Des peintres de vases contemporains de Polygnote empruntèrent plusieurs de leurs thèmes au grand peintre, qui selon les descriptions détaillées de Pausanias nous offrent une connaissance plus complète du style et des créations de l'artiste de Thassos.

Enfin, au nord-ouest du théâtre se dressait le **stade** de Delphes. On y arrive en empruntant un sentier escarpé qui vaut le détour. Sur la route on aperçoit une source antique qui est connue sous le nom actuel de Kerna. Tout autour, on aperçoit de nombreuses niches creusées dans la roche, qui abritaient des offrandes, des statues etc.

La partie nord de l'édifice fut construite sur le rocher de Rodini, tandis que son entrée se trouvait à l'est. À cet endroit on avait érigé quatre pessaires qui soutenaient trois arcades, formant ainsi trois entrées. Les deux pessaires du milieu possédaient des niches qui servaient à abriter des statues.

La première construction du stade date du Ve siècle av. J.-C. Une inscription gravée sur une plaque oblongue ornant l'intérieur de l'édifice interdisait le transfert du vin en dehors du stade, sous peine d'une amende s'élevant à 5 drachmes. Au départ les gradins étaient en terre, mais par la suite on construisit aux frais d'Hérode Atticus (sous le règne de l'empereur Hadrien), des séries de sièges en pierre du mont Parnasse, et non en marbre blanc comme l'indique Pausanias.

Le théâtre antique.

Le stade mesurait 177,55 m de long, entre 25,25 m et 25,65 m de large aux extrémités et 28,50 m au milieu. La piste se trouve entre le point de départ et l'arrivée, qui étaient tous deux marqués par des plaques en marbre avec des cannelures afin de soutenir les pieds des coureurs et avec des encoches carrées servant à bloquer les piquets séparant les athlètes.

Les deux longues rangées de bancs, qui formaient le soi-disant «théâtre», étaient réunies par une fosse en arc de cercle. Elles étaient séparées par un mur élevé orné de piliers de soutènement qui atteignaient 1,30 m de haut. En surplomb des bancs et sur tout le pourtour du théâtre il y avait un couloir qui facilitait le passage des spectateurs. L'accès au couloir s'effectuait par quatre escaliers. La partie nord comportait 12 rangées de sièges tandis que la fosse et la partie sud n'en comportaient que 6 rangées, à cause de la configuration du sol. Les rangées de bancs étaient séparées par des escaliers devant faciliter l'accès des spectateurs. Au milieu de la partie nord on distingue un banc étroit doté d'un dossier, qui en largeur occupe deux rangées de sièges. Il s'agissait des places d'honneur réservées aux juges et aux personnages officiels. À l'extrémité nord ouest de l'étroit couloir et en surplomb des bancs se trouvait une fontaine protégée par un édifice voûté, où les spectateurs venaient se désaltérer.

Au cours des jeux pythiques, les concours gymniques et hippiques avaient lieu au sein du stade. C'est peut être là également qu'avaient lieu les concours musicaux avant que le théâtre ne soit construit. Jusqu'au milieu du Ve siècle av. J.-C., ces concours étaient organisés dans la plaine de Krisa (Krisaion pedion). On pense que le stade pouvait contenir environ 7.000 spectateurs.

Vues du stade et.

LA FONTAINE DE CASTALIE

Après avoir découvert le sanctuaire d'Apollon, le visiteur se dirigera vers le sanctuaire d'Athéna Pronaia (Marmaria). Sur sa route il rencontrera la fontaine de Castalie. La célèbre fontaine, qui se trouve à seulement quelques mètres de la route, se situe au pied du mont Hyampeia et au débouché de gorges arides formées par les Phédriades.

Les Grecs anciens faisaient l'éloge des eaux limpides de Castalie, qu'ils utilisaient pour se purifier durant la période où l'on prononçait des oracles. C'est avec son eau qui jaillissait de la roche, «l'eau parfaite» comme l'appelait Pindare, qu'ils aspergeaient le vaste temple du dieu. L'agencement de la source ne révèle rien d'autre qu'un courant créateur qui envahit les Grecs, les poussant ainsi à enjoliver ce que la nature leur avait offert de plus précieux. Ils sculptèrent donc le rocher d'où jaillit l'eau de la source formant ainsi une sorte de niche "thalamos" (C. Karouzos) à laquelle on accédait en empruntant 8 marches.

Au départ, l'eau était recueillie dans une citerne étroite de 0, 50 m de large, taillée à la base du rocher et une écluse faite en plaques de pierres, atteignant 2,50 m de haut, régulait le niveau de l'eau. La citerne comportait 7 bouches placées à intervalles réguliers, recouvertes de mufles léonins, d'où l'eau s'écoulait. Les bouches étaient séparées par 8 pilastres en marbre. Après être passée par les canaux d'évacuation, l'eau était recueillie dans un réservoir rectangulaire à ciel ouvert, où s'effectuaient les ablutions avant l'entrée dans le sanctuaire d'Apollon. En haut du rocher on pouvait apercevoir des niches sculptées utilisées pour les offrandes, les statuettes etc. La fontaine date des années hellénistiques et romaines (IIIe siècle av. J.-C.).

La fontaine Castalie de la période archaïque et classique fut découverte en 1959. Elle était en tuf et on situe la date de sa construction vers 600 – 590 av. J.-C. Elle se trouve 50 mètres plus bas que celle des années hellénistiques. Elle comportait une cour pavée entourée d'un muret et d'orthostates élevés.

Les murs des côtés adjacents possédaient des bancs et sur le mur du nord étaient apposés des mufles léonins en bronze d'où coulait l'eau. C'est sans aucun doute à cette fontaine et à son eau limpide que le péan de Pindare faisait référence.

La Fontaine de Castalie, symbole de purification et de catharsis.

LE SANCTUAIRE D'ATHÉNA PRONAIA

On remarque dès les années mycéniennes la présence du culte d'une divinité féminine sur le site du sanctuaire d'Athéna Pronaia, comme en témoignent les figurines féminines en terre cuite qui furent découvertes sur les lieux et datent de la période hellénistique III tardive.

Dès l'époque archaïque, le site fut dédié à Athéna Pronaia, c'est à dire à celle qui demeure «avant le temple», parce que son sanctuaire se trouvait justement avant le temple du grand dieu. Aujourd'hui le site est traditionnellement appelé Marmaria. Le sanctuaire était entouré d'un péribole et possédait plusieurs entrées. Son entrée principale se trouvait sur la façade est. On aperçoit tout d'abord les vestiges des autels. Ici se dressait un grand autel rectangulaire datant du VIe s. av J.-C. qui était entouré de plusieurs autels plus petits. Les deux autels qui s'appuyaient au mur de soutènement, étaient dédiés (comme en témoignent les inscriptions qui y sont gravées) aux déesses Ilithyie (autel de gauche) et Hygie (autel de droite). À proximité de là se trouvaient trois piliers ornés d'inscriptions qui indiquent que ces monuments étaient dédiés à Zeus Polieus (le premier pilier), Athéna Erganè (le second) et Athéna Zôstéria (le troisième).

Sur une terrasse située plus haut et délimitée par les murs de soutènement se trouvent les vestiges de deux édifices en forme de temple comportant un pronaos et une cella. Ils mesurent 6,10 x 8 mètres, pour le plus grand, et 4,85 x 3,95 m, pour le plus petit. Ils appartenaient probablement au temple du héros Phylacos, figure héroïque de Delphes, qui avec Antinoüs, repoussa les Perses, en 480 av. J.-C. Certains chercheurs pensent que ces édifices archaïques étaient des trésors.

Un peu plus loin, le visiteur peut apercevoir le temple en tuf d' Athéna Pronaia. Il s'agit du premier temple de la déesse, construit au même endroit. C'est un temple périptère d'ordre dorique datant de 650 av. J.-C. et qui constituait l'un des temples les plus anciens de Grèce.

Représentation du sanctuaire d'Athéna Pronaia et en face, façade de la Tholos.

De cet édifice qui fut détruit vers la fin du VIe siècle av. J.-C. lorsque des rochers se détachèrent du mont Parnasse, il ne reste aujourd'hui que quelques fragments de colonnes ainsi que 12 chapiteaux caractéristiques du style dorique précoce, qui lui donne l'aspect «d'un pain gonflé puis écrasé».

Le second temple archaïque fut construit sur le même emplacement, vers 500 av. J.-C. Il s'agissait d'un périptère d'ordre dorique de 13 m de large sur 28 m de long. Il était doté de 6 colonnes sur les faces étroites et de 12 colonnes sur les longs côtés. Il comportait un pronaos, orné de deux colonnes coincées entre des pilastres, et une cella particulièrement allongée, sans opisthodome.

Des avalanches de pierres des montagnes Phédriades, survenues au cours des guerres médiques et en 373 av. J.-C., provoquèrent des dommages importants dans le temple. Après le séisme de 373 av. J.-C. on procéda donc à des travaux de consolidation de l'édifice et dans l'angle nord-est du temple on relia les colonnes par des murs. En mars 1905 une terrible tempête provoqua la chute de rochers du Hyampeia, qui entraîna la destruction de 12 des 15 colonnes qui avaient été sauvegardées jusqu'alors.

À l'ouest de ce temple se dressent les vestiges de deux trésors en marbre de Paros, comprenant un pronaos et une cella. Le plus grand des deux mesure 7,30 de large sur 10,40 m de long

Plan topographique du sanctuaire d'Athéna Pronaia.

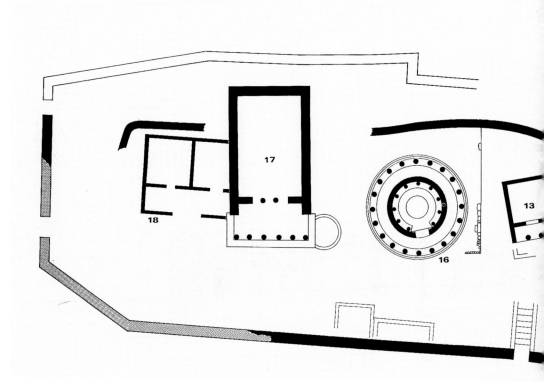

et est d'ordre dorique. Sa façade comporte deux colonnes entourées de pilastres et il fut édifié vers 480-470 av. J.-C. Le plus petit, qui couvre une surface de 6,37 x 8,63 m, constitue l'un des plus beaux exemples du style ionique des années archaïques. Il était lui aussi orné sur sa façade de deux colonnes entourées de pilastres et il fut construit par les Marseillais (Massaliètes ou Massaliotes) entre 535 et 530 av. J.-C. Les deux colonnes «à pilastres» de la façade possédaient des chapiteaux éoliques (type rare) à corolles de palmes. À l'intérieur de la cella se trouvait une base étroite sur laquelle se dressaient des statues d'empereurs romains. On peut également apercevoir quelques fragments de la frise qui ornait la partie externe des murs de l'édifice. Sur le plan de la beauté et de la finesse, le trésor des Massaliètes ne peut être comparé qu'avec le trésor des Siphniens dans le sanctuaire d'Apollon. Autour des trésors se dressent des socles possédant des encoches spécifiques servant à disposer des colonnes dotées d'inscriptions.

Devant les trésors, on distingue un grand socle rectangulaire, posé en biais. Il servit à porter le trophée dédié par les Delphiens à Apollon et à Zeus afin de leur rendre grâce pour avoir contribué à chasser les Perses, lorsque ces derniers assiégèrent la ville, en 480 av. J.-C. À côté de ce socle se dressait une petite plate-forme portant la statue de l'empereur Hadrien, qui fut érigée par le prêtre d'Apollon en l'an 125 de l'ère chrétienne.

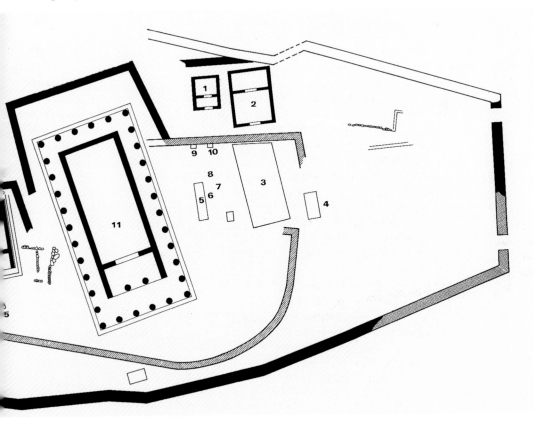

À l'ouest des trésors on aperçoit un monument circulaire comportant trois colonnes restaurées. Il s'agit de la célèbre tholos, qui constitue l'un des chefs d'œuvre de l'architecture antique. Elle fut construite au début du IVe siècle av. J.-C. (vers 380 av. J.-C.), par l'architecte Théodôros, originaire de Phocée (en Asie mineure), qui écrivit d'ailleurs un livre spécifique sur ce monument. La fonction et la destination de la tholos sont à ce jour inconnues et seule la forme de l'édifice laisse supposer de son caractère chtonien. Il s'agit d'un monument d'ordre dorique possédant 20 colonnes qui soutenaient l'entablement (épistyle, triglyphe, métopes et larmier). Les métopes étaient ornées de représentations en relief d'Amazonomachies et de Centauromachies.

Vue du sanctuaire d'Athéna Pronaia et en face, vestiges du trésor des Massaliètes.

La tholos, qui était en marbre de Paros, se trouvait sur une krépis (socle à degrés) à trois degrés et mesurait 13,50 m de diamètre. La colonnade entourait la cella (sékos) circulaire dont l'entrée se trouvait sur la face Sud. Le mur circulaire de la cella était orné de triglyphes et de métopes sur la partie externe, tandis qu'à l'intérieur, sur un socle en pierre d'Éleusis, se dressaient 10 colonnes corinthiennes. Les métopes en relief de la cella représentaient les travaux d'Hercule (Héraclès) et de Thésée. Une splendide cimaise du style de Lesbos entourait la base du mur de la cella. Enfin, à l'extérieur, la toiture avait une forme conique et elle était ornée de tuiles et d'acrotères en marbre.

À droite de la tholos et à l'ouest du sanctuaire, se dresse le temple le plus récent d'Athéna Pronaia, qui se substitua au temple archaïque précédent, lorsque ce dernier fut détruit par le séisme de 373 av. J.-C. Les Grecs anciens préférèrent construirent le nouveau temple à un endroit différent, moins exposé aux glissements de terrains. Le nouvel édifice fut construit en pierre calcaire grise provenant des carrières du Prophète Élie, à proximité de Delphes. Il était d'ordre dorique, et son pronaos était précédé par un porche à six colonnes (prostyle hexastyle). Il avait des dimensions géométriques proportionnelles (11,55 x 22,60).

Le pronaos était plus large que la cella et le passage qui les séparait comportait deux demi-colonnes ioniques entourées de pilastres. Les métopes ne présentaient aucune représentation en relief. Ce nouveau temple fut édifié vers 370 av. J.-C. et il constituait l'un des plus beaux monuments du site en raison de son plan original.

Le dernier édifice rencontré par le visiteur dans la partie Ouest du sanctuaire est **«l'oikos (la maison) des prêtres»**. Il s'agit d'un édifice plus ancien que le temple et datant du Ve siècle av. J.-C. Il possédait un prodomos et deux pièces de 12,05 x 10,90 mètres. On ne connaît pas la fonction exacte de ce lieu.

LE GYMNASE

Entre le sanctuaire d'Athéna Pronaia et Castalie, au bord du Pleistos, se trouvent les vestiges du **Gymnase** de Delphes. Selon le mythe, c'est ici qu'Ulysse était venu chasser avec le fils d'Autolycos, lorsqu'il fut blessé à la jambe par un verrat. C'est cette ancienne cicatrice que reconnut sa fidèle servante Euryclée et qui lui permit d'identifier le héros lorsqu'il rentra à Ithaque.

C'est au sein du Gymnase que les jeunes de Delphes pratiquaient le sport et que les athlètes s'entraînaient sur le Stade avant les jeux publics des Pythiques. En raison de la configuration du sol, le gymnase a été construit en deux terrasses superposées longues et étroites. Sur la terrasse la plus basse et la plus étroite on pouvait apercevoir la Palestre, un bassin pour les bains froids et des thermes pour les bains chauds. Sur la terrasse supérieure se trouvait le Xyste (portique contenant une piste de course) et la piste destinée aux épreuves de course.

Les premières installations furent construites au cours des années archaïques, mais l'agencement réel du site remonte au IVe siècle av. J.-C. et il fit l'objet de nombreuses modifications par les Romains.

La Palestre comprenait une cour centrale rectangulaire à colonnade dorique, où avaient lieu les épreuves de pugilat. Les parties Nord et Ouest de la Palestre comprenaient diverses pièces dont on distingue encore les fondations en pierre. Du côté Ouest la vaste pièce servait d'*apodytereion* (vestiaire). Sur le côté Nord, la première, ou peut-être la troisième salle, abritait le *konima* où les athlètes se frottaient avec du sable. Une autre salle du site était celle du *sphairisterion*, où les boxeurs et les pancratiastes s'entraînaient avec des sacs remplis de sable. C'est dans la partie Ouest également que se trouvait un édifice en forme de temple, avec deux colonnes entourées de pilastres sur la

Vue aérienne du Gymnase.

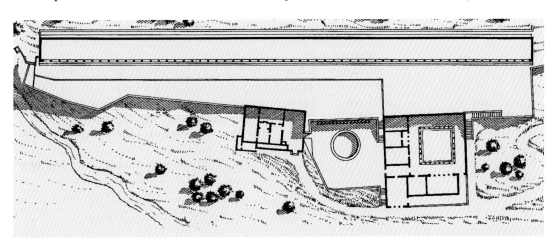

façade, un prodomos et une pièce principale qui dans le fond était ornée d'une statue de divinité se rapportant au Gymnase. Il s'agissait peut être d'Hermès ou d'Héraclès. Cette salle en forme de temple était l'Éphébeion ou l'Exedra, et c'est là que les athlètes recevaient les conseils de leur entraîneur. Au cours des années plus récentes on construisit à cet endroit une église dédiée à la Vierge. Sur l'une des colonnes (qui appartenait au départ au Gymnase) Lord Byron et son ami Hobhouse avaient gravé leur nom, en 1809.

À l'Ouest du Palestre se trouvait une grande cour comportant un bassin circulaire qui servait au bain. Sur le mur de soutènement situé au Nord, étaient adossées dix vasques qui étaient alimentées par l'eau de Castalie grâce à onze bouches situées plus haut. Les bouches étaient ornées de mufles d'animaux en bronze et elles conduisaient l'eau dans les 10 vasques qui communiquaient entre elles, puis la canalisait dans un bassin circulaire dans lequel se baignaient les athlètes.

Plus à l'Ouest se trouvaient les thermes et les bains chauds. Ils furent construits par les Romains vers l'an 120 de l'ère chrétienne. Le sol était chauffé car il reposait sur des petits piliers qui laissaient circuler l'air chaud.

Sur la terrasse supérieure du gymnase se trouvait le *xyste*. Il s'agissait d'un vaste portique couvert, mesurant environ 7 mètres de large. Sa façade comportait au départ une colonnade dorique en tuf qui fut remplacée durant la période romaine par une colonnade ionique ne marbre. La longueur séparant le point de départ et l'arrivée est de 184,43 m, soit un stade.

Il existait parallèlement au gymnase une piste à ciel ouvert appelée *Paradromis*, où avaient lieu les épreuves de course lorsque les conditions climatiques étaient favorables, tandis que le *xyste* était destiné à l'entraînement en cas de mauvais temps, c'est à dire quand il pleuvait ou quand il faisait trop chaud.

D'une manière plus générale, le site du Gymnase servit dès l'époque hellénistique à organiser diverses manifestations culturelles. Ainsi, de célèbres philosophes, orateurs, poètes, musiciens et précepteurs venaient ici afin d'y tenir d'importants discours. Des inscriptions indiquent également qu'au cours des Euménées la course de flambeaux débutait au Gymnase et aboutissait au temple d'Apollon.

Vues du gymnase.

Le temple d'Athéna Pronaia.

LE MUSÉE ARCHÉOLOGIQUE

Le Musée de Delphes, qui est l'un des plus grands de Grèce, abrite certains des chefs d'œuvre de l'art grec antique. Il fut construit entre 1902 et 1903 et fit l'objet de certaines transformations au cours des années suivantes. C'est ici que se trouvent toutes les trouvailles qui ont été découvertes par les archéologues, et qui sont représentatives de toutes les périodes de l'art grec, provoquant ainsi l'admiration et l'étonnement du visiteur. Plus de 6.000 objets, qui sont le reflet du prestige et de la splendeur passée du sanctuaire de Delphes, sont exposés au sein du musée. Les collections d'objets exposés dans les salles du Musée ne suivent pas un ordre chronologique. Elles sont rassemblées en fonction de leur lieu d'origine commun.

PLAN DU MUSÉE

LÉGENDES DU PLAN

1. ENTRÉE
2. SALLE DES PETITS OBJETS
3. SALLE DES BOUCLIERS
4. SALLE DU TRÉSOR DES SIPHNIOTES
5. SALLE DES KOUROI
6. SALLE DU TAUREAU
7. SALLE DU TRÉSOR DES ATHÉNIENS
8. PREMIÈRE SALLE D'APOLLON
9. DEUXIÈME SALLE D'APOLLON
10. SALLE DES STÈLES FUNÉRAIRES
11. SALLE DE LA THOLOS
12. SALLE DES OFFRANDES DE DAOCHOS
13. SALLE DE L'AURIGE
14. SALLE D'ANTINOÜS

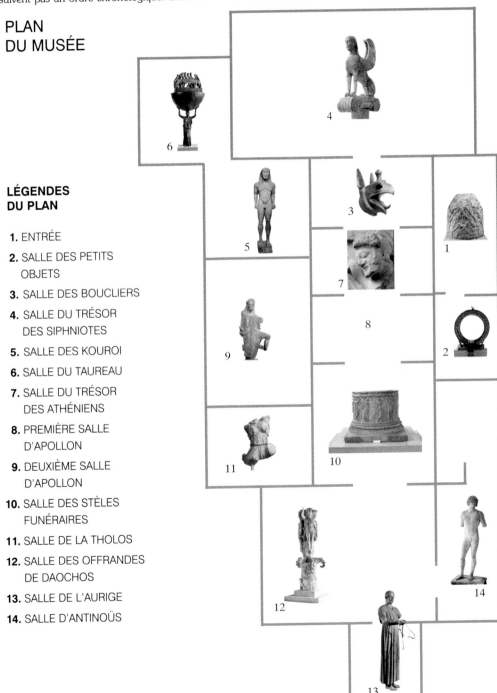

VESTIBULE

8194 Ici se trouve une réplique du célèbre Omphalos de Delphes, qui date des années hellénistiques ou des années romaines précoces. Il s'agit du plus important objet votif trouvé à Delphes. Pausanias indique l'avoir vu, au cours du IIe siècle de notre ère, en face du temple d'Apollon et c'est effectivement là qu'il fut découvert. Un Omphalos (qui signifie nombril) se trouvait dans l'adyton (salle secrète où la Pythie recevait l'inspiration des dieux) du temple d'Apollon, à proximité de la statue du dieu. Durant les années classiques, cette sculpture symbolisait le centre de la terre. La légende veut qu'il se soit agit du monument sépulcral du Python que le dieu tua afin de s'emparer de l'oracle. Il est en marbre et est recouvert d'un filet de laine blanche en relief appelé agrenon. En surplomb ou à côté de l'Omphalos se trouvaient deux aigles dorés à l'or fin.

9467 À côté de l'Omphalos on a disposé de manière symbolique un trépied en fer semblable à celui qui se trouvait dans l'adyton du temple d'Apollon.

Il porte un chaudron qui ne lui appartient pas et qui ne date pas de la même époque mais qui vient simplement compléter la trouvaille. **2707** À gauche de l'Omphalos se trouve un relief en marbre représentant Athéna, l'Omphalos et Apollon. Il date de 330 av. J.-C. et constitue la partie supérieure d'une stèle honorifique rendant hommage au célèbre orateur athénien Démade.

2544 Tout le long du mur de l'étroit couloir sont exposés des fragments de la frise en marbre de l'avant-scène du théâtre, qui date du Ier siècle de l'ère chrétienne. De gauche à droite, les représentations en relief sont les suivantes:

a) Héraclès dans le jardin des Hespérides.

b) Le Cerbère. Héraclès et le lion de Némée.

c) Héraclès luttant contre le Centaure.

d) Héraclès contre l'Hydre de Lerne.

2a

e) Héraclès et Antée.

f) Scène d'Amazonomachie et Héraclès avec la lionne.

g) Le monstre à trois corps, Géryon.

h) Héraclès dompte le cheval de Diomède.

i) Héraclès contre Diomède, fils d'Arès.

j) Héraclès et les oiseaux du lac Stymphale.

On pénètre ensuite dans une salle abritant des trouvailles datant principalement de l'époque archaïque.

La visite s'effectue ici en sens contraire des aiguilles d'une montre.

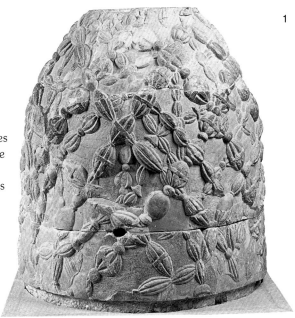

1. L'omphalos de Delphes.

2. Fragments de la frise en marbre du théâtre.

   a. Héraclès face à l'Hydre de Lerne
     et le géant Antée.

   b. Héraclès apprivoise les chevaux de Diomède.

2β

SALLE DES PETITS OBJETS

Vitrine 1

La première vitrine abrite des bijoux en or, en bronze et en terre cuite, trouvés à Amphissa et datant du VIIIe et du VIIe siècle av. J.-C., ainsi que des objets en terre cuite provenant de tombes d'Amphissa et de Delphes et qui datent de la fin du VIIIe s. et du VIIe av. J.-C.

Vitrine 2

Dans la deuxième vitrine on peut admirer des pots en terre cuite des années géométriques, découverts à Delphes (900-700 av. J.-C.).

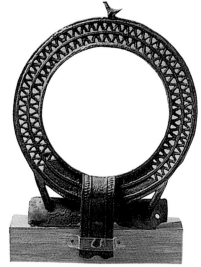

Vitrine 3

Dans la troisième vitrine on remarquera les statuettes à figure humaine ou animale datant de l'époque géométrique (900-700 av. J.-C.) ainsi que les fragments de trépieds en bronze datant du VIIIe siècle av. J.-C.

Vitrine 4

La quatrième vitrine abrite des appliques en forme de sirènes, de griffons et de lions, qui ornaient des chaudrons ou d'autres ustensiles en bronze du VIIIe et du VIIe siècle av. J.-C.

Vitrine 5

Dans la cinquième vitrine on distingue principalement des idoles en bronze et des statuettes de dieux dont l'origine s'étend de l'époque archaïque jusqu'aux années hellénistiques. On remarquera la statuette en bronze représentant un jeune homme, qui date des années classiques précoces, ainsi que d'autres petits objets du VIIe et VIe siècle av. J.-C.

Vitrine 6

Dans la sixième vitrine sont exposés des fragments de vases et d'ustensiles en bronze datant d'époques diverses. On notera l'intérêt présenté par la carafe en bronze ornée de représentations en estampe.

Vitrine 7

La septième vitrine abrite des armes et divers objets votifs en bronze provenant du sanctuaire d'Apollon: casques en bronze, haches, pointes de lances, plaques dotées d'ornements...

Vitrine 8

Enfin, la huitième vitrine, située à gauche de l'entrée, abrite des vases et des idoles en terre cuite, découverts dans un sanctuaire de Kirrha (VIe – IVe siècle av. J.-C.). On distinguera le vase fermé à anses, dont la partie supérieure était ornée de la représentation d'un banquet tandis que la partie comprise entre les anses possédait des scènes dionysiaques, exemples du style austère. À gauche du vestibule se trouve la salle des boucliers en bronze.

1. *Anse de chaudron en cuivre (VIIIe siècle av. J.-C.).*
2, 3. *Sirènes, objets décoratifs provenant de chaudrons (VIIIe siècle av. J.-C.)*
4. *Plaque en bronze ornée de la représentation en relief d'Ulysse accroché au ventre d'un bélier (VIe siècle av. J.-C.).*

SALLE DES BOUCLIERS

Cette salle abrite quelques-uns des plus beaux échantillons de l'art du VIIe siècle av. J.-C. Le visiteur pourra admirer sur les murs des boucliers en bronze datant de la première moitié du VIIe siècle av. J.-C.

7226 Le premier bouclier est décoré au repoussé de cercles concentriques, entrecoupés de fourches en forme de V et il constituait l'une des nombreuses offrandes du temple d'Apollon.

7227, 7177 Les deux autres boucliers comportent une tête de lion en leur centre et d'autres animaux tels que des béliers, des cerfs etc... tout autour.

7734, 8396 On remarquera également l'intérêt présenté par les deux protomes (bustes) de griffons en bronze, qui constituaient des appliques de chaudrons (l'une martelée et l'autre coulée) datant du VIIe et du VIe siècle av. J.-C.

2527 Un petit kouros représentatif du dédalisme de la deuxième moitié du VIIe s. av. J.-C.;

5733 Ainsi qu'un périrrhantérion (sorte d'aspersoir) en marbre, restauré en plâtre, datant du début du VIe siècle av. J.-C., et composé de 3 korês entourant un pied central et soutenant une vasque en marbre.

1. *Statuette en bronze de Kouros, art dédalien (640-630 av. J.-C.)*
2. *Statuette en bronze d'un jeune homme, connue sous le nom «d'Apollon au collier» (525 av. J.-C.)*
3. *Bouclier en bronze orné de cercles concentriques.*
4. *Tête de griffon en bronze (700-650 av. J.-C.).*

SALLE DU TRÉSOR DES SIPHNIENS

La salle suivante abrite certains des plus beaux chefs d'œuvre de l'art archaïque ionique précoce, avec pour principaux joyaux les somptueuses sculptures qui ornaient le trésor des Siphniens. L'édifice, qui date de 525 av. J.-C. environ, constituait le plus splendide monument du sanctuaire d'Apollon. Il représente l'apothéose de la sculpture qui tend à remplacer des éléments d'architecture essentiels, comme par exemple les deux Caryatides du portique (pronaos) qui viennent se substituer à deux colonnes ioniques.

Dans la partie droite de la salle, l'attention du visiteur sera retenue par le Sphinx ailé en marbre, qui constituait une offrande des Naxiens faite au temple d'Apollon. La statue date de 570-560 av. J.-C. Elle se dressait sur une colonne ionique, constituée de 6 tambours, et reposait sur un chapiteau ionique.

La hauteur totale de l'ex-voto était d'environ 12,5 mètres, mais le Sphinx en lui-même mesurait 2,32 mètres. Gravé sur la base de la colonne, qui comptait 44 cannelures, on aperçoit un décret adopté par Delphes visant à renouveler le droit de promantie des Naxiens, en 328/327 av. J.-C.

Le Sphinx est une œuvre représentative de l'art archaïque naxien, qui était révélateur de la domination politique de l'île des Cyclades et de son apogée d'une manière plus générale durant ces années (VIIe-VIe siècle av. J.-C.).

Le visage de femme au sourire archaïque caractéristique, est révélateur d'une tendance générale d'humanisation des personnages, tandis que le modelage linéaire du buste et des ailes ainsi que les détails jadis soulignés de couleurs, forment une œuvre impressionnante qui fut sans doute érigée sur le site sacré afin de protéger l'oracle de Gaia (Terre), autrefois gardé par Python. Les deux petites colonnes d'ordre dorique, qui se dressent derrière la statue du Sphinx, datent de la fin du VIe siècle av. J.-C.

La salle est principalement occupée par les ornements sculptés du trésor des Siphniens. Ce petit édifice ionique offre un exemple splendide de frise à son stade d'évolution le plus avancé. Les chercheurs ont pu distinguer les styles d'au moins deux artistes, dont on ne connaît toutefois pas les noms. L'un des deux sculpteurs (et également le plus âgé) réalisa les côtés Ouest et Sud et l'autre se chargea des faces Nord et Est.

1

Le premier sculpteur est plus conservateur et sa technique est le reflet de l'art ionique qui se développa dans les ateliers des rivages d'Asie Mineure.

Le second sculpteur devait être un très grand artiste de son temps. Il était doué d'un goût audacieux et d'une inspiration unique. Il fut sans doute influencé par l'art de Chios, auquel il ne se limita cependant pas. Grâce à son style narratif et synthétique ainsi qu'à la souplesse exceptionnelle des objets travaillés, il réalisa des œuvres d'une beauté incomparable qui exprimaient la puissance, la fougue et l'éloquence, sans toutefois jamais porter ombrage à l'élégance de la pièce d'architecture qu'ils ornaient.

1. Tête de Caryatide (530 av. J.-C.).
2. Le Sphinx des Naxiotes.

À gauche de l'entrée de la salle se trouve la **frise Est** du trésor. Elle représente la Guerre de Troie à laquelle assistent les dieux de l'Olympe. Les dieux sont assis et ils sont partagés entre les deux camps adverses. À gauche se tiennent les dieux qui sont favorables aux Troyens et qui ont le regard tourné en leur direction. On reconnaît tout d'abord Arès, le dieu de la guerre, qui est armé et est assis au bout. Vient ensuite Aphrodite (ou Léto), Artémis et Apollon en train de discuter, tandis qu'Apollon est tourné vers Artémis. Les gestes de familiarité entre les dieux sont caractéristiques de la profonde inquiétude et de la tension qui les habitent. On distingue ensuite Zeus (dont la tête n'a pas été conservée), assis sur un trône orné de la représentation en relief d'un Satyre pourchassant une nymphe. Devant lui, dans une position de supplication, se trouvait Thétis, la mère d'Achille, dont il ne reste aujourd'hui que quelques fragments des doigts de la main qui reposait sur le genou de Zeus.

Un peu plus à droite on apercevait les dieux protecteurs des Grecs, dont les visages étaient tournés vers la gauche. Poséidon (qui n'a pas été conservé), Athéna, Héra, Déméter (ou Hébé). Sur la partie représentant la bataille opposant les Troyens et les Grecs, à l'extérieur des murs d'enceinte de la ville de Troie, on distingue: à gauche, un char troyen tiré par quatre chevaux et conduit par Glaucos; Enée et Hector (qui sont descendus du char) en train de se battre contre Ménélas – qui brandit un bouclier orné d'une gorgone – et Ajax, sur le corps d'un guerrier (Euphorbe?). Sur la droite, on distingue le char grec conduit par Automédon et Nestor, qui la main droite levée, encourage les Grecs.

Le trésor des Siphniens.
1. *Fragment de la représentation située sur la gauche de la frise Est (Léto ou Aphrodite, Artémis, Apollon).*
2. *Fragment droit de la Gigantomachie ornant la frise Nord.*
3. *Partie sud de la frise Nord (Hermès et Arès face aux Géants).*

exposé ici provient du trésor des Massaliètes, qui était abrité par le sanctuaire d'Athéna Pronaia et sa construction remonte donc à 530-510 av. J.-C. environ.

Les vestiges d'une korê exposée à droite du chapiteau du trésor des Siphniens, ne seraient autre que la Caryatide du Trésor des Cnidiens.

Enfin, en surplomb de la frise Est, on distingue le fronton Est du trésor des Siphniens, qui est le seul à avoir été conservé. Il atteint 0,73 m en son point le plus haut. Son thème, particulièrement cher à l'époque archaïque, est la discorde opposant Héraclès et Apollon au sujet du trépied de Delphes. La légende veut qu'Héraclès se soit emparé du trépied divinatoire, dans l'intention par la suite de fonder son propre Manteion (lieu de l'oracle), suite au refus de la Pythie de lui donner son oracle car il n'avait pas été pardonné du meurtre d'Iphitos.

Au centre on distingue Héraclès qui porte le trépied de Delphes sur l'épaule tandis que sur la gauche, Apollon essaie de le lui reprendre. Artémis (ou Léto) essaie de retenir Apollon qui semble furieux. Une divinité se tient entre Héraclès et Apollon et tente de les séparer. Cette figure divine a été identifiée à la déesse Athéna (ou à Zeus). Derrière Apollon, deux personnages féminins se tiennent face à un char, dont le palefrenier est agenouillé, dans l'angle droit du fronton. Derrière Héraclès on distingue également deux figures ainsi qu'un char.

1. Frise Est du trésor des Siphniotes.
 (Dispute opposant Héraclès et Apollon
  pour le trépied de Delphes).
2. Fragment de la représentation de la partie nord de la frise.
3. Buste de Caryatide.

3

SALLE DES KOUROI

Un peu plus loin, le visiteur pénétrera dans la salle des Kouroi. Son attention sera immédiatement retenue par les deux immenses statues des jumeaux d'Argos, Cléobis et Biton. Ces œuvres sont attribuées au sculpteur argien Polymédès. Les concitoyens de ce dernier firent don des statues au temple de Delphes et les disposèrent à proximité du trésor des Athéniens.

Les deux statues archaïques en marbre de Paros, représentant la figure du Kouros archaïque alliant parallèlement les caractéristiques typiques d'Argos, possèdent une valeur artistique exceptionnelle.

Selon Hérodote, au cours de la fête des Héraion, la mère des jeunes gens, qui était une prêtresse d'Héra, dut se rendre sur le sanctuaire de la déesse, situé à l'extérieur d'Argos. Comme les bœufs qui devaient tirer le char de leur mère tardaient à arriver, les deux jeunes gens s'attelèrent eux-mêmes au char et transportèrent la prêtresse d'Argos jusqu'à l'Héraion, soit une distance de 45 stades (environ 8 km).

Leur mère, fière de ses enfants et satisfaite des louanges des Argiens, pria la déesse de leur donner «τό ἀνθρώπῳ τυχεῖν ἄριστον ἐστί», à savoir ce qui peut arriver de mieux à l'homme. Son désir fut exaucé par la déesse et ce soir là, les deux frères s'endormirent heureux dans le sanctuaire et ne se réveillèrent jamais, trouvant ainsi la mort de la manière la plus douce qui soit.

Afin de rendre hommage aux deux frères, les Argiens firent don de leurs statues à la cité de Delphes «ὡς ἄριστον ἐστί», à savoir, en tant qu'hommes devenus parfaits. Les sculptures mesuraient 2,16 m de haut et elles datent de 600 à 580 av. J.-C., marquant le passage du dédalisme du VIIe siècle à l'archaïsme du VIe siècle av. J.-C. Les statues sont en marbre massif, elles possèdent des lignes austères mais les courbes de leurs corps expriment cependant la vitalité et le dynamisme. Les muscles sont particulièrement robustes et puissants, la taille est étroite et les articulations sont fortes et vigoureuses.

Ce corps sain et sculpté est complété par une tête carrée au front étroit et aux yeux grand ouverts, qui renferment la fougue et la vitalité de l'athlète.

À travers ces courbes et ces volumes l'artiste tenait à exprimer une conception essentielle émanant d'un profond besoin intérieur. Les deux statues en marbre comptent sans aucun doute parmi les plus beaux objets du Musée.

Sur le mur gauche de la salle, on peut admirer cinq des 14 métopes en tuf du trésor des Sicyoniens provenant du célèbre Monoptère. Elles étaient rectangulaires (88X58 cm) et non carrées et datent de 560 av. J.-C. Les métopes, aux thèmes si admirables, constituent des exemples caractéristiques de l'art de la riche et puissante cité archaïque de Sicyone. Elles conservent encore des traces de couleur et se distinguent par leurs lignes soutenues.

En allant de la gauche vers la droite, elles représentent:

La première métope évoque un thème de l'expédition des Argonautes et représente la proue du navire des Argonautes (Argo) où Orphée ainsi qu'un autre personnage se tiennent debout et jouent de la lyre, afin d'apaiser les vagues, tandis que les Dioscures (Castor et Pollux) débarquent du navire Argo, à cheval.

La seconde métope représente l'enlèvement d'Europe par Zeus. Selon la mythologie, le dieu se métamorphosa en taureau, sur lequel grimpa la belle princesse de Phénicie. Le dieu l'emmena ainsi loin de sa patrie et la déposa en Crète. On distingue Europe penchée vers l'avant, s'agrippant à l'échine du taureau qui court.

1. "Le Taureau de Calydon", représentation provenant de la quatrième métope du trésor des Syciones.
2. Les deux Kouroi archaïques Cléobis et Biton.

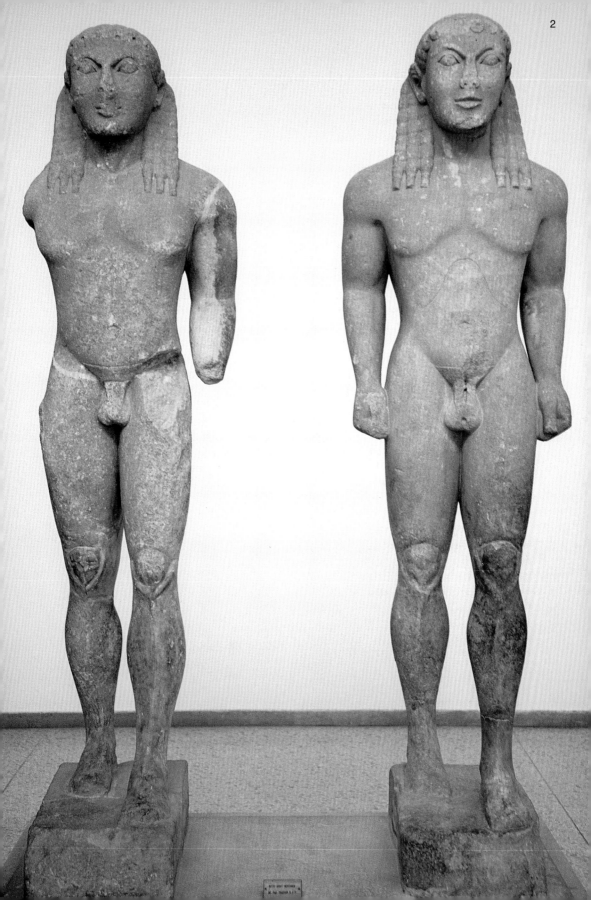

La troisième métope, qui est la mieux conservée, représente l'enlèvement des bœufs par les Dioscures, Castor et Pollux, et par leurs cousins Idas et Lyncée. L'artiste a ajouté à chaque figure son nom souligné à la couleur (seul le nom de Lyncée ne figure pas sur la métope).

La quatrième métope représente la chasse du sanglier de Calydon. Le fils de Méléagre, le roi de Calydon, organisa la traque de ce terrible animal sauvage. En dessous du sanglier, on distingue les restes de l'un des chiens de Méléagre.

Et enfin, la cinquième métope, qui est aujourd'hui en relativement mauvais état, représente la conquête de la toison d'or par Phrixos (monté sur un bélier).

Sur les métopes, les courbes des figures, distinctes, immobiles et bien dessinées, révèlent une expressivité relativement importante. Sur la métope représentant la scène de l'expédition des Argonautes, l'artiste a fait preuve d'un grand talent et d'une audace admirable dans la réalisation de son œuvre.

1663 Le petit Kouros en bronze exposé dans la partie droite de la salle est probablement l'effigie d'Apollon. Il est nu, porte des sandales et un collier autour du cou. Il reflète les tendances de «l'art laconique» et date de 530 à 520 av. J.-C.

Dioscures et Apharides.
Troisième métope du trésor
des Sicyoniens.

SALLE DU TAUREAU

Cette salle, qui se situe dans le prolongement de la salle des Kouroi, présente de manière exhaustive l'ensemble des trouvailles qui ont été découvertes dans les deux fosses situées en contre-bas de la Voie Sacrée, en face du Trésor des Athéniens. Ces fosses furent découvertes par P. Amandry, en 1939, au cours des recherches qu'il menait au niveau du dallage de la Voie Sacrée. Il était courant

chez les Grecs anciens de rassembler les objets, sculptures et ex-voto anciens (et peut être abîmés), afin de les disposer dans des fosses profondes. Ces fosses, étaient non seulement la preuve de l'importance accordée aux objets de culte par les Grecs anciens, mais elles leur servaient aussi à éviter tout risque de profanation.

Dans le sanctuaire de Delphes, les fosses contenaient des débris d'ex-voto en matériau précieux tel que l'or, l'argent, le cuivre, l'ivoire etc... Ces somptueuses trouvailles sont exposées dans la présente salle.

Vitrine 1

Dans la première vitrine, on distingue en partant de gauche: la statuette en bronze d'un joueur de flûte (début du Ve siècle), un groupe statuaire de deux sphinx à une seule tête d'ivoire (VIe siècle), une coupe en argent, une carafe en argent et en bronze, des plaques en bronze ornées de représentations gravées ou sculptées, ainsi que d'autres objets datant du VIe au Ve siècle av. J.-C.

Vitrine 2

La deuxième vitrine abrite une statuette d'ivoire du dieu (du début du VIIe siècle av. J.-C.) portant une lance ayant servi à dompter une panthère ou un lion, des pointes de flèches et de lances en bronze, deux sirènes en bronze, ainsi que des lames en or, qui servaient peut être à renforcer les chapiteaux.

Vitrine 3

Dans la troisième vitrine on distingue des fragments de la représentation chryséléphantine de la statue du dieu Apollon, assis sur son trône et tenant dans la main droite une carafe en argent, dorée à l'or fin. Il s'agit d'une œuvre de l'art ionique, du VIe siècle av. J.-C. On admirera également les deux plaques en or qui ornaient l'habit du dieu par des représentations symétriques d'animaux, le diadème en or du dieu, les extrémités des pieds en ivoire, une partie de la décoration du trône du dieu (telle que des lames en or fixées sur des plaques en bronze), ainsi que les boucles en or de ses cheveux. Cette vitrine abrite en outre des fragments en ivoire de la main du dieu, un collier à têtes de lions en or, des plaques en or dotées d'ornements martelés etc...

1

*Statuette d'homme tenant
un animal sauvage, en ivoire.
Encensoir en bronze tenu
par un Péplophore.*

Têtes en ivoire représentant un homme (en bas) et Artémis (page d'en face).

Statue en argent ouvragée représentant un taureau (600-550 av. J.-C.).

Vitrine 4

La quatrième vitrine comprend des fragments de deux statues féminines chryséléphantines qui représentaient probablement Artémis et Léto. Le visiteur peut donc admirer la tête d'ivoire d'Artémis (?) ornée d'un diadème et de bijoux en or; la main de la déesse portant un bracelet d'or et d'ivoire ainsi que les boucles en or entourant sa tête. On remarquera également la tête en ivoire de Léto; des fragments de ses orteils (en ivoire également); des bracelets en bronze et enfin des paires de pieds en ivoire qui appartenaient probablement à d'autres statues.

Vitrine 5

Dans la cinquième vitrine se trouvent des petits objets tels que des idoles de femmes en terre cuite, des fragments de statuettes en ivoire, une pléthore d'éléments décoratifs ornant des meubles en bois du VIe siècle av. J.-C., des fragments en ivoire de divers entrelacs tels que les représentations des affrontements de la Guerre de Troie ou le célèbre entrelacs des Harpyes pourchassées par Zétès et Calaïs (superbe exemple de l'art miniature - petite plastique - corinthien, qui remonte à 570 av. J.-C. environ).

Vitrine 6

Dans la sixième vitrine se trouve la suite de l'exposition de l'art miniature. Elle abrite entre autre des plaquettes d'ivoire aux ornements magnifiques, des entrelacs en ivoire, des anses de vases, des pointes de lances en fer ainsi que divers petits objets en or...

Au fond de la salle se dresse une grande vitrine renfermant un taureau en argent, grandeur nature. Il s'agit d'une œuvre magnifique de l'art archaïque d'Ionie, du VIe siècle av. J.-C., qui pour une raison inconnue fut détruite au cours du Ve siècle av. J.-C. Il C'est un précieux ex-voto mesurant 2,61 m x 1,46 m et qui était entièrement réalisé en plaques d'argent martelées et reliées entre elles par des lames de cuivre, qui étaient fixées par des clous d'argent sur un squelette en bois. L'ex-voto devait être particulièrement impressionnant, avec ses cornes qui tout comme d'autres parties de son corps étaient dorées à l'or fin.

Pour finir, on remarquera un encensoir en bronze disposé sur un socle particulier, qui constitue une œuvre exceptionnelle du milieu du Ve siècle av. J.-C. Il représente une jeune péplophore (jeune fille portant le peplos, vêtement traditionnel de la Grèce continentale), qui porte un petit chaudron semi-circulaire destiné à l'encens, qu'elle tient sur la tête de ses bras levés.

1. Bas relief en ivoire.

2. Plaques et lames en or ornées d'un griffon et d'une gorgone provenant de la statue d'Artémis.

2

SALLE DU TRÉSOR DES ATHÉNIENS

La salle suivante est celle qui comprend les reliefs provenant du trésor des Athéniens, qui fut édifié à l'issue de la bataille de Marathon (490/89 av. J.-C.).

Elle abrite 24 des 30 métopes qui ornaient le trésor et qui étaient réparties par série de neuf sur les longs côtés et par série de six sur les côtés étroits. Sur ces métopes, qui fournissent des éléments significatifs sur l'étude de l'art archaïque attique des années tardives, on reconnaît les styles de 5 à 6 artistes, qui représentent deux techniques différentes: l'une, plus conservatrice, qui suivait les règles archaïques traditionnelles et engendra des figures aux lignes strictes et à la puissance naturelle; et l'autre, plus moderne, qui parvint à marier les normes de l'art archaïque à la conception des détails, l'adoption d'éléments nouveaux et l'élégance. Cette alliance des styles amena tant au niveau des thèmes que de l'esthé-tique à des figures exemplaires, qui influencèrent l'ensemble de l'art grec des années classiques.

Parmi les 9 métopes de la façade Nord, qui représentaient les travaux d'Héraclès (Hercule), celles qui ont été conservées sont exposées dans la salle du trésor, de part et d'autre de l'entrée. En partant de la droite, on aperçoit donc: Héraclès en train de vaincre le Centaure; Héraclès remportant la victoire sur Cycnos, le fils d'Arès; Héraclès et la biche de Cérynie et enfin Héraclès et le lion de Némée. Les deux métopes situées aux extrémités représentent des guerriers.

Les cinq métopes suivantes, sur la gauche, représentent le dixième exploit d'Héraclès, à savoir, la lutte et l'enlèvement des bœufs du géant à trois corps, Géryon (partie Ouest du trésor).

1

2

1. Métope de la façade Nord du trésor des Athéniens. Détail du thème «Thésée et Antiope», représenté sur la photo 3.
2. Détail d'Héraclès, de la représentation «d'Héraclès et le Cygne», provenant de la même métope.

La dernière métope de cette partie de la salle ainsi que les 6 métopes situées en face, ornaient la façade Sud du trésor, qui était également la plus visible depuis la Voie Sacrée. Ces neufs métopes représentaient les exploits du héros athénien, Thésée. De droite à gauche, on peut distinguer: Thésée aux côtés du terrible brigand Procruste; Thésée et le bandit Cercyon; Thésée et un bandit qui est peut être Sciron; et enfin, Thésée se tenant debout face à sa protectrice, la déesse Athéna. Les trois métopes suivantes représentent Thésée et le taureau de Marathon, Thésée et la reine des Amazones, Antiope, et enfin le héros aux côtés du terrible Minotaure.

Les six dernières métopes de la salle, qui ornaient la face Est, c'est à dire la façade du trésor, comportent des scènes d'Amazonomachie (bataille avec les Amazones). Elles faisaient la propagande des victoires remportées par les Athéniens sur les Barbares et exaltaient, par extension, la supériorité de la mesure, de la morale et de la sagesse, par rapport à l'irrationalité et au caractère primitif de la nature barbare.

Cette salle abrite en outre les vestiges des deux frontons du trésor. Le fronton Est représentait la rencontre de Thésée et de Pirithoos face à une divinité et le fronton Ouest symbolisait une scène de lutte, au cours de laquelle Héraclès et Télamon se battaient face au roi de Troie, Laomédon, le père de Priam.

"Héraclès et la biche de Cérynie"
et en face, détail d'Héraclès.

SALLE DU TEMPLE D'APOLLON

Le premier, et aussi le plus important, objet exposé dans la salle est constitué par des fragments de deux hymnes à Apollon, qui étaient gravés sur le mur Sud du trésor des Athéniens et étaient accompagnés de notes de musiques. Ces hymnes furent probablement chantés pour la première fois lors des Pythaïdes (cortège en l'honneur d'Apollon) athéniennes de 138 et 128 av. J.-C.

Les Allemands Bellermann et Fortlage tentèrent de déchiffrer les accompagnements musicaux.

La salle abrite également les vestiges du fronton Ouest en tuf du temple archaïque d'Apollon (des Alcméonides). Le fronton était orné de scènes de la Gigantomachie, la bataille qui opposa les dieux de l'Olympe aux Géants. On pense que les frontons du temple ont été réalisés par le sculpteur athénien Adénor.

Les figures, solides et sévères, dégagent une force monumentale, qui est en harmonie avec les exigences de l'art de cette époque. Parmi les fragments qui ont pu être conservés, on distingue un géant tombé à terre, Athéna s'engageant dans la

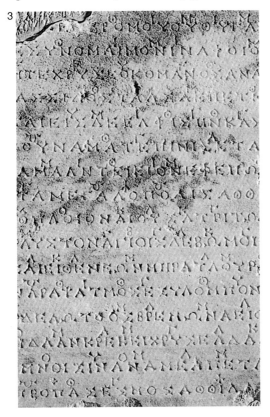

bataille, des morceaux du poitrail d'un cheval etc...

Un peu plus loin, se dresse un petit Kouros décapité en marbre, qui date du début du Ve siècle av. J.-C. À droite de cette statue on aperçoit une statue féminine décapitée de péplophore, en marbre de Paros, qui constituait peut-être l'acrotère du trésor dorique du sanctuaire d'Athéna Pronaia. Sa réalisation date de 470 av. J.-C.

Dans cette salle sont exposées les sculptures provenant du fronton Est, en marbre, du temple archaïque d'Apollon (des Alcméonides). Le fronton représente la scène de l'arrivée à Delphes du dieu, sur un char attelé de quatre chevaux. Au milieu du fronton se trouvait le char du dieu, sur lequel se tenaient également sa sœur, Artémis, ainsi que sa mère, Léto. Sur la droite on distingue le fils de Poséidon, Delphos, le maître des lieux, qui accueille le dieu ainsi que deux autres figures masculines. À gauche, on peut admirer la représentation des trois filles de Cécrops, Pandrosos, Hersé et Aglauros. En dehors des personnages se tenant debout autour du dieu, les angles du fronton comportent des entrelacs de lions en train de dévorer des bêtes. Plus précisément, dans l'angle droit un lion dévore un cerf et dans l'angle gauche un autre lion terrasse un taureau.

4

Les détails des sculptures étaient rehaussés de peinture, comme par exemple le sang des plaies.

À droite du fronton, on aperçoit une Niké (statue de la Victoire) ailée en marbre, qui constituait l'acrotère central du temple des Alcméonides, un chéneau en marbre se terminant par un mufle de lion provenant du temple des Alcméonides, et enfin un Kouros en marbre datant de 555-540 av. J.-C. À gauche du fronton se dresse un sphinx décapité –acrotère d'angle du temple archaïque, fragment du larmier datant du IVe siècle av. J.-C. et enfin encore un Kouros en marbre des années 540-520 av. J.-C. L'attention du visiteur sera ensuite retenue par une petite vache en bronze, ex-voto dédié à Apollon, que l'on situe vers 500 av. J.-C. environ. Vient ensuite une petite colonne d'ordre ionique en marbre de Paros, qui fut utilisée comme stèle votive par les fils de Charopiné et date du milieu du VIe siècle av. J.-C. Le kouros dont il ne reste aujourd'hui que le socle orné d'inscriptions constituait lui aussi une de leurs offrandes. En face du fronton sont exposées 4 colonnes portant des inscriptions qui datent de la période comprise entre 361 et 310 av. J.-C. Ces inscriptions font référence à des comptes de la ville de Delphes concernant la reconstruction du temple d'Apollon, suite à l'incendie de 373 av. J.-C., et elles comprennent également une liste des villes et des particuliers qui contribuèrent à la restauration de l'édifice ainsi que les amendes que les Phocidiens furent contraints de verser à l'issue de la IIIème Guerre Sacrée. Au-dessus de la porte d'entrée se trouve une grande inscription qui mentionne que le temple d'Apollon fut restauré sous le règne de Domitien, en l'an 84 de l'ère chrétienne.

1, 2. Détails du chéneau d'un temple du IVe siècle av. J.-C.
3. Fragment de la façade Sud du trésor des Athéniens orné d'hymnes gravés dans la pierre, en l'honneur d'Apollon.
4. La Victoire (Nikê) ailée.

1. *Vue de la seconde salle du trésor d'Apollon.*

2. *Fronton Est.*

3. *Statue de Dion*

SALLE DES STÈLES FUNÉRAIRES

Cette salle abrite tout d'abord des fragments d'une stèle représentant un homme enveloppé dans un lourd himation (sorte de manteau), datant du VIe siècle av. J.-C.; une urne cinéraire du Ve s. av. J.-C. et trois masques en terre cuite de Déméter ou d'une korê, datant également du Ve siècle av. J.-C.

Dans la partie gauche de la salle se trouve une superbe stèle funéraire de l'art classique provenant du cimetière Est de Delphes. Elle représente un jeune athlète en train de nettoyer son corps à l'aide d'un strigile (instrument à lame courbe servant à racler la sueur et la poussière), suite à une épreuve de lutte. Devant lui se dresse un esclave tenant un aryballe qui contenait de l'huile, tandis qu'entre eux on distingue la tête du chien préféré du défunt. Du jeune athlète il ne reste aujourd'hui que le corps jusqu'à mi-jambe, la tête a été détruite. La stèle funéraire en marbre de Paros, œuvre remarquable d'un atelier ionien, constitue le joyau de cette salle.

On remarquera l'intérêt présenté par le fragment de la stèle funéraire représentant une jeune esclave tenant le miroir de sa maîtresse (milieu du Ve siècle av. J.-C.) ainsi que le fragment d'une stèle ornée d'un jeune esclave qui porte un récipient circulaire et accompagne son maître à la palestre (salle de lutte), du Ve s. av. J.-C.

Dans une vitrine spéciale sont exposés divers vases du Ve siècle, découverts dans des tombes. On distingue entre autre des lécythes, des petites amphores, des albâtres...

La deuxième partie de la salle abrite une statue incomplète de la seconde moitié du IVe siècle av. J.-C. Certains pensent qu'il s'agit de Dionysos. Cette sculpture constitue la figure principale du fronton Ouest du temple d'Apollon (IVe siècle av. J.-C.) La tendre figure du jeune dieu au regard si doux est représentative des tendances artistiques de l'époque (cette trouvaille est peut-être désormais dans la salle de l'ex-voto de Daochos).

La seconde statue décapitée représente Apollon Citharède et on situe la date de sa réalisation vers le début du IIIe siècle av. J.-C. Sur le mur, un buste de cheval de la fin du Ve siècle av. J.-C., constitue probablement le fragment d'une représentation de char à quatre chevaux. La statue féminine en position de course date du IVe siècle av. J.-C.

Enfin, dans l'angle, se dresse un autel circulaire en marbre, d'environ 1 mètre de haut, provenant du sanctuaire d'Athéna Pronaia et datant du 1er siècle av. J.-C. Il comporte un relief représentant 12 jeunes filles qui, les bras levés, et par groupes de deux, accrochent des bandelettes à une guirlande faite de feuilles.

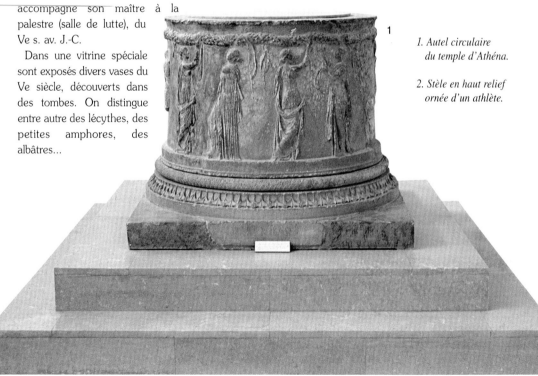

1

*1. Autel circulaire
   du temple d'Athéna.*

*2. Stèle en haut relief
   ornée d'un athlète.*

SALLE DE LA THOLOS

1, 2. Amazones ornant les métopes de la colonnade
extérieure de la Tholos.
3, 4. Personnage féminin qui ornait l'acrotère
de la Tholos et une partie de la métope.

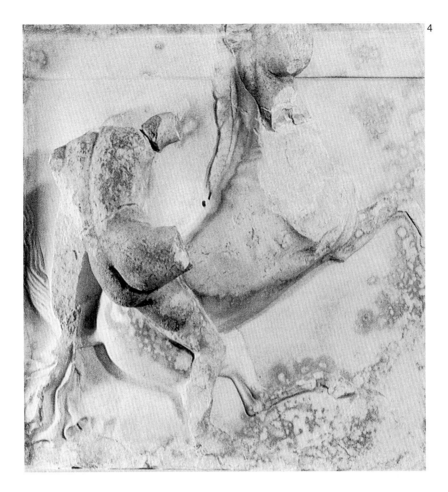

Cette salle abrite une partie de l'entablement de l'édifice rond du sanctuaire d'Athéna Pronaia, la fameuse Tholos (380-375 av. J.-C.), ainsi que d'autres éléments d'architecture ornés de sculptures décoratives.

Ici, le visiteur peut admirer quatre des métopes en marbre de la Tholos, qui se distinguent par leur raffinement, tant au niveau de la conception que de la réalisation. On remarquera en outre l'audace et la sensibilité dans le tracé et le modelage des figures représentées. Les métopes ont une épaisseur de 7 cm et elles mesurent 65 x 62,5 cm. Celles situées au-dessus des 20 colonnes extérieures et des épistyles étaient ornées de représentations d'Amazonomachie et de Centauromachie. Parmi celles qui ont été conservées dans la partie restaurée de la tholos on aperçoit, de gauche à droite:

a) Un centaure attrapant une femme.

b) Un cheval cabré ainsi qu'une autre figure masculine.

c) Une amazone attaquant un Grec tombé sur un genou.

d) Un homme se dirigeant vers une colonne votive sur laquelle se dresse une figure féminine.

La salle comporte également des fragments de métopes très incomplètes, dont certaines ornaient la partie externe de la tholos et d'autres la partie interne de l'édifice, venant ainsi embellir le mur circulaire de la cella du monument. Ces métopes intérieures étaient plus petites (42 x 0,5 cm) et elles représentaient les exploits de Thésée et les travaux d'Héraclès.

Sur des socles spécifiques, disposés dans la salle, se dressent des figures féminines, qui datent des premières décennies du IVe siècle av. J.-C. et proviennent probablement des acrotères de divers édifices.

Enfin, dans la salle se trouvent également un chapiteau dorique provenant de la colonnade externe de l'édifice, une petite colonne corinthienne qui s'appuyait sur le jambage interne de la cella et enfin un triglyphe et son épistyle.

SALLE DE DAOCHOS

Cette salle abrite 6 des 9 statues provenant de l'ex-voto de Daochos II (tétrarque de Thessalie) fait au temple d'Apollon.

Les neuf statues, de taille surnaturelle, en marbre, reposaient sur des socles en tuf de la région. Huit des statues, qui se trouvaient sur des socles ornés d'inscriptions constituaient des portraits de Daochos, de ses aïeuls et de son fils, tandis que la neuvième, disposée sur un socle dénué de toute inscription, représentait probablement Apollon. L'épigramme située sur le socle indique que le monument a été dédié par Daochos à Apollon, lorsqu'il était hieromnémon auprès de l'Amphictyonie Delphique, entre 336 et 332 av. J.- C.

Les statues de la salle de Daochos étaient disposées suivant un ordre chronologique, en allant de droite à gauche. Après Apollon dont la statue ne fut pas sauvegardée et dont il ne reste que la base vide (l'encoche destinée à la statue est plus large que les autres, révélant ainsi qu'elle couvrait une plus grande surface et pesait sans doute plus lourd). Venait ensuite l'ancêtre lointain Aknonios, puis ses trois fils: le vainqueur olympique du Pancrace Agias, Télémaque (dont la statue n'a pas été sauvegardée) et le coureur Agélaos. Puis on pouvait apercevoir les statues du fils d'Agias, Daochos Ier (tétrarque de Thessalie); du fils de Daochos Ier, Sisyphe Ier; et du fils de Sisyphe Ier, Daochos II, dont il ne reste que les chaussures tressées. Venait enfin le fils de Sisyphe II. La première statue est celle d'Agias, célèbre athlète du pancrace, qui remporta de nombreuses victoires aux jeux olympiques, aux jeux de Némée, aux jeux isthmiques et pythiques.

Il est grand, sa tête est petite et légèrement tournée sur le côté et il se tient de face.

Il portait une bande de métal qui a cependant été égarée.

L'expression de son visage, au regard intense et à la bouche entre ouverte, dégage un sentiment d'instantanéité et de puissance. L'auteur de la statue d'Agias a restitué des critères morphologiques semblables à ceux de l'école de Lysippe.

Une réplique de l'épigramme d'Agias, que l'on découvrit sur la base d'une statue en marbre portant la signature de Lysippe (à Pharsale), laisse penser que la statue d'Agias n'est autre qu'une réplique en marbre de la sculpture en bronze de Lysippe.

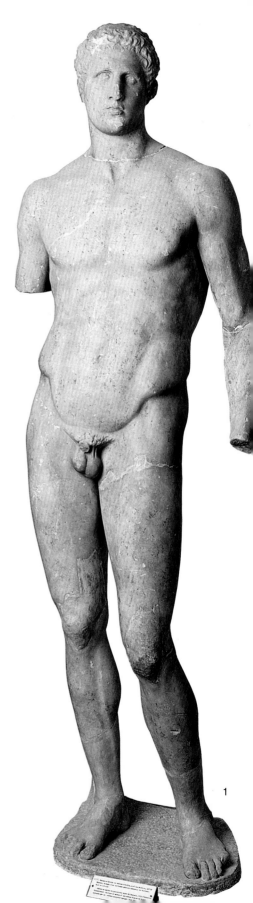

1

1. Statue d'Agias.
2. Statue d'un philosophe.

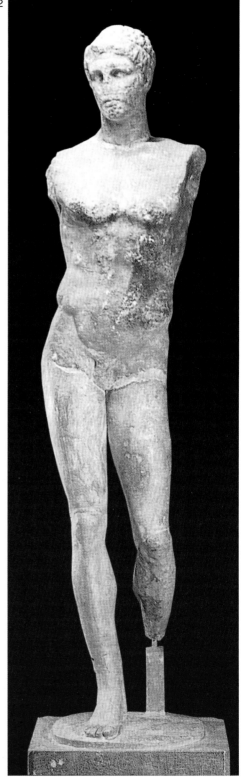

Un peu plus loin se dresse la statue de Sisyphos II, le fils de Daochos II. C'est la seule figure statique du monument. Elle représente un adolescent vêtu d'une chlamyde (vêtement national des Macédoniens et des Thessaliens) qui semble prête à glisser de son épaule gauche. Il est appuyé de tout son poids, sur un hermès archaïsant qui adhère à son buste. Sa tête comporte des encoches sur lesquelles était probablement fixée une couronne métallique. L'attitude du corps du jeune homme est révélatrice des critères «praxitéliens» adoptés par l'artiste.

Vient ensuite le coureur Agélaos, qui repose de tout son poids sur sa jambe droite, tandis que sa jambe gauche est légèrement repliée vers l'arrière. Il avait les bras levés afin de fixer le ruban de la victoire dans ses cheveux (il sortit vainqueur des Jeux Pythiques). La grande taille, la restitution très naturaliste de l'anatomie et d'une manière plus générale les caractéristiques parfaites du corps de l'athlète, constituent une version plus moderne du Diadumène de Polyclète.

On aperçoit ensuite Sisyphe Ier (le fils de Daochos Ier), qui est représenté en soldat avec un chiton court retenu par une ceinture à la taille. À son bras gauche pend sa chlamyde, tandis que sa main droite est levée, brandissant peut être une épée ou donnant un ordre. Il est tourné au vers le spectateur et porte des traces de couleur. Son chiton forme des plis fins et droits. Son attitude fut utilisée par la suite pour les statues des Empereurs romains. La statue de Sisyphe Ier constitue avec celle d'Agia, l'une des sculptures les plus intéressantes de l'ex-voto.

Vient ensuite Aknonios, qui a le bras gauche levé et la jambe gauche dans une position décontractée. Il porte un chiton court entouré d'une ceinture et une chlamyde qui, comme en témoignent les encoches de son épaule droite, était fixée par une agrafe. Son attitude indique qu'il faisait probablement une présentation emphatique de ses descendants à Apollon, qui se tenait à ses côtés.

La statue de Daochos Ier (fils d'Agias) est exposée en dernier. Sa jambe droite est légèrement fléchie et il porte un chiton court. Il est entièrement enveloppé dans une épaisse chlamyde macédonienne et son bras gauche est replié sur son torse.

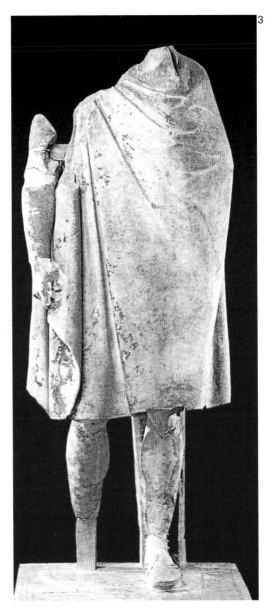

Toutes les statues habillées de la salle possèdent des morceaux rajoutés qui ont été travaillés sur des morceaux de marbre différents. Elles portent en outre des chaussures et des chaussettes montant jusqu'à mi-jambe.

1. Statue de Sisyphe.
2. Statue d'Agélaos.
3. Statue de Daochos.

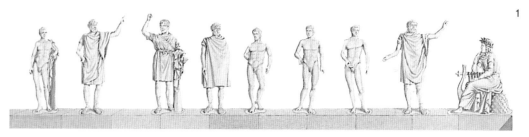

Cette salle abrite également l'un des chefs d'œuvre du musée: il s'agit de l'entrelacs des trois jeunes filles qui se trouvaient au sommet de la colonne d'acanthe, dans le sanctuaire d'Apollon.

La hauteur totale de l'ex-voto en marbre était de 13 mètres. Les trois jeunes-filles, qui ont des attitudes de danseuses, portent une tunique transparente tombant jusqu'au genou. De la main gauche elles tiennent leur tunique tandis que leur bras droit est levé. La tunique couvre à peine leur chair tendre laissant ainsi deviner les courbes bien dessinées de leurs corps. Leur visage est éclairé par un sourire timide tandis que leurs jambes semblent suivre un léger pas de danse.

Sur la tête elles portent un panier ou une corbeille, supportant ainsi des feuilles d'acanthe en bronze ainsi qu'un trépied destiné à soutenir un chaudron. L'entrelacs disposé sur le site du sanctuaire devait être impressionnant de par sa taille et sa forme au caractère unique.

Le socle comportait une inscription indiquant que l'ex-voto avait été dédié par les Athéniens, vers 335-325 av. J.-C.

Il s'agissait sans doute de la représentation des trois filles de Cécrops, le roi légendaire d'Athènes, Pandrosos, Hersé et Aglauros. L'entrelacs constitue l'une des plus admirables expressions de l'art classique.

Enfin, la salle comprend également un portrait de vieillard en marbre, qui représente peut-être un philosophe. La figure paisible du vieillard au regard placide est une œuvre datant de 280-270 av. J.-C.

4

SALLE DE L'AURIGE

La statue en bronze qui est exposée dans cette salle est sans aucun doute le joyau du musée de Delphes. Elle fut découverte au cours de fouilles menées en 1896 par les archéologues français sous la voie sacrée et elle constitue aujourd'hui l'une des sculptures en bronze les plus célèbres du Ve siècle av. J.-C. Elle ne doit pas être considérée comme une œuvre autonome mais comme une fraction d'un groupe statuaire qui comprenait également un char attelé de quatre chevaux sur lequel se trouvait l'aurige (le cocher) ainsi qu'un esclave tenant les rênes.

Ces précisions furent dictées par les autres parties de l'entrelacs découvertes par étapes progressives, comme par exemple des fragments de trois pattes d'un cheval, une queue de cheval en bronze, des morceaux du char, une main d'enfant ainsi que des fragments des rênes.

La statue représente l'aurige, grandeur nature (1,80 m), au moment précis où il reçoit les honneurs et les ovations de la foule, suite à sa victoire lors des jeux.

L'entrelacs constituait une offrande dédiée par Polyzale (originaire de Géla, en Sicile), fils de Dinomène de la famille des tyrans syracusains, suite à sa victoire dans une course de chars lors des jeux pythiques de 478 ou 474 av. J.-C. D'une manière générale, les tyrans de Sicile avaient l'habitude de rappeler à leur patrie leur richesse grâce aux victoires qu'ils remportaient dans des épreuves particulièrement dispendieuses telles que les courses de chars, mais aussi par leurs ex-voto. Très souvent de grands poètes, tels que Pindare et Bachylide, rendirent en outre hommage à leurs victoires dans des jeux panhelladiques.

Sur le socle de l'aurige on distingue une inscription partiellement conservée mentionnant «j'ai été dédié par Polyzale, fils de Dinomène, qui avec ses chevaux (char) remporta la victoire. Fais, illustre Apollon, qu'il prospère». À l'origine, le premier vers comportait la mention suivante: «Polyzale, maître de Géla a dédié le monument». Cette mention fut cependant effacée, peut être parce qu'elle faisait référence au titre de Polyzale, originaire de la ville de Géla, où le régime autoritaire du tyran provoquait le mécontentement.

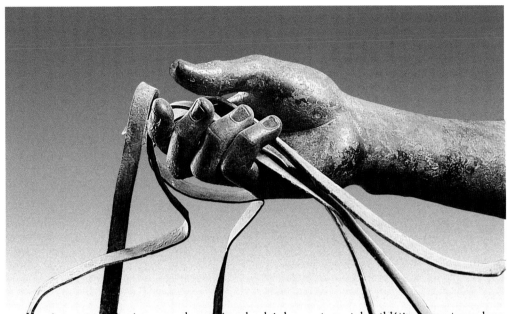

L'aurige, grand et mince, aux larges épaules lui donnant un style athlétique, porte un long chiton hiératique, qui était la tenue habituelle des auriges. Les brides fixées sur les épaules empêchaient le vêtement de flotter. Le chiton est ceinturé à la taille et deux brides passant sous les aisselles et se croisant dans le dos empêchent le vêtement de se soulever lors des épreuves. Les nombreux plis se formant au niveau de la poitrine contrastent avec le style très simple de la longue jupe, qui couvrait les pieds de la statue. Dans ses mains (dont il ne reste aujourd'hui que la droite), l'aurige tenait des rênes et peut-être une cravache. L'attitude légèrement inclinée du personnage le rend très vivant, rompant ainsi avec le style sévère de la métope. Le style demeure encore quelque peu archaïque mais la sculpture dégage cependant une noblesse et une grâce émanant de sa simplicité.

Représentation de la statue de l'Aurige (E. Krischen).

C'est la légère inclinaison débutant au niveau des pieds et se poursuivant graduellement jusqu'à la tête, orientant ainsi progressivement l'attitude impérieuse du buste, qui rend l'œuvre particulièrement vivante sans pour autant venir briser les plis cannelés de la longue tunique de l'aurige. Le corps qui, comme le relatent certains récits, avait été reconstitué en volume, était coiffé d'une tête splendide. La tête de l'aurige, qui est légèrement tournée vers le visiteur, conserve un style archaïque. Le ruban de la victoire, qui comportait des ornements en argent, entourait le front et les tempes du personnage, dont la partie gauche du visage était plus large afin de créer un effet d'optique. Des boucles ouvragées entourent le visage ovale au menton puissant, à la bouche entre ouverte et aux lèvres pulpeuses, aux pommettes relativement hautes et aux superbes yeux bien dessinés très bien conservés. Les lèvres avaient été réalisées dans un bronze différent et les grands yeux en amande étaient incrustés d'émail au niveau de la pupille et d'une pierre semi-précieuse sombre pour l'iris.

Il s'agit d'une figure exceptionnelle qui déborde de vie. Le regard de l'aurige, totalement envoûtant, semble se fixer quelque part. Aucune pensée intérieure, aucun élément externe ne paraît pouvoir l'en détacher. Il demeure malgré tout particulièrement expressif et exceptionnellement vivant, incarnant la tranquillité retrouvée après l'effort et l'émotion de la compétition. Un soin particulier a été apporté aux parties nues de la sculpture, qui renferment les tressail-lements de la vie et de l'intensité de l'effort, dans une figure admirable représentant à la perfection l'image du grand vainqueur.

Le nom du sculpteur nous est inconnu. Il s'agissait peut-être d'une œuvre de Pythagore de Samos, qui s'était exilé à Réggio, en Calabre. Selon une autre version ce serait l'œuvre du grand sculpteur athénien Critios. La salle abrite également tous les fragments de la statue de bronze qui ont été découverts sur le site.

8140 On peut également apercevoir une admirable coupe à fond blanc. Elle est ornée de la représentation d'Apollon assis sur un diphros (siège sans dossier) à pattes de lion. Il est vêtu d'un chiton, retenu sur les épaules par des boucles, et d'un himation rouge. Dans une atmosphère de calme divin il verse une libation de vin coulant d'une carafe qu'il tient dans la main droite,

tandis que de sa main gauche il tient sa lyre, les doigts posés sur les cordes. En face de lui se trouve un oiseau noir, qui est probable-ment un corbeau. L'oiseau symbolise sans doute Coronis, la fille du roi Phlégyas dont Apollon s'éprit et avec laquelle il engendra Asclépios.

La coupe date de la même époque que l'aurige. On situe ces deux œuvres vers 480-470 av. J.-C. Le nom de l'artiste est ici encore inconnu.

Vase à anses blanc orné de la représentation d'Apollon assis sur un char et tenant sa lyre.

LA SALLE D'ANTINOÜS

Dans la dernière salle du Musée, parmi les divers objets, le visiteur peut admirer la splendide statue d'Antinoüs, le protégé de l'empereur Hadrien.

Le superbe jeune homme qui était originaire de Bithynie (en Asie Mineure), se noya alors qu'il était encore dans la fleur de l'âge, dans les eaux du Nil, en accompagnant l'empereur Hadrien en Égypte, en l'an 130 de l'ère chrétienne.

La légende veut qu'il ait sacrifié sa vie pour son bienfaiteur (l'empereur Hadrien) qui était un grand nostalgique de la Grèce classique.

Après sa mort prématurée, Hadrien, qui avait aimé avec passion le jeune homme, imposa sa divinisation en érigeant des statues à son effigie dans de nombreuses villes et sanctuaires de Grèce. Il fonda en outre la ville d'Antinoüpoli, en Égypte.

Sa statue, où Antinoüs est représenté tel un dieu, fut dédiée à Delphes par le prêtre d'Apollon Pythien. C'est ici que l'on rendit un homma-ge particulier au compagnon de l'empereur. Ce dernier fit construire un mur d'enceinte autour de la ville, en faisant preuve d'un réel intérêt et de beaucoup de sensibilité.

La sculpture en marbre de Paros, qui fut réalisée en l'an 130 de notre ère, constitue l'une des dernières œuvres authentiques de l'esprit grec de cette époque.

Le jeune est représenté nu, la tête légèrement inclinée. L'épaisse chevelure retombe sur son front et encadre son visage (tourné vers la gauche) aux joues tendres, au menton rond, aux lèvres charnues et aux yeux rêveurs. Les nombreuses boucles étaient retenues par un ruban, qui devait être orné de feuilles de laurier en or. Le marbre foncé du socle de la statue renforce encore l'impression créée par le corps poli, blanc et verni de la statue.

L'attention du visiteur sera retenue par le regard mélancolique, presque lugubre, de la statue. Ses yeux remplis de tristesse semblent vouloir dire adieu à une époque à jamais révolue. Ce supe-rbe portrait résume de la meilleure façon qui soit les tendances d'une époque qui voulait enrayer sa fin inévitable et tentait de renaître en recherchant avec nostalgie le retour aux modèles classiques, tant au niveau de l'art que de la religion. Ce superbe jeune homme mélancolique incarne un classicisme transitoire, puisqu'il manque à sa figure délicate l'impression de vie qui caractérisait les statues de jeunes hommes nus (principalement des athlètes) des années classiques, débordant de vigueur et de vitalité.

Buste d'Antinoüs et en face les Nymphes et le dieu Pan (450 av. J.-C.).

4070 En face se dresse un hermès décapité de Plutarque (46 – 120 ap. J.-C.), qui fut durant de nombreuses années le prêtre d'Apollon à Delphes. Comme l'indique l'épigraphe, il s'agissait d'un ex-voto dédié par les Chéronéens et par les habitants de Delphes.

4755 À côté de l'hermès se trouve la statue d'un petit garçon tenant une oie, datant de la fin du IIIe siècle av. J.-C., ainsi qu'une tête **1706** d'homme en marbre de Paros, datant du début du IIe siècle av. J.-C. Elle représente probablement le consul romain Titus qui après avoir remporté la victoire sur Philippe V de Macédoine, à Kynès Kéfalès (en 197 av. J.-C.), proclama l'année suivante l'indépendance des villes grecques, à Isthmia. Lors des fouilles archéologiques on découvrit un socle qui supportait une statue en bronze du consul romain. Ici, l'artiste talentueux, qui représente le sujet dans la fleur de l'âge, a apporté un soin particulier aux traits du personnage, parvenant ainsi à donner une image détaillée de sa personnalité et de son tempérament.

On aperçoit ensuite une ravissante statue de jeune fille du début du IIIe siècle av. J.-C., ainsi qu'un buste en marbre qui appartenait à un hermès et représente une figure masculine semblant très introvertie (peut-être celle d'un philosophe), œuvre du IIe siècle de l'ère chrétienne.

L'attention du visiteur sera également retenue par les vitrines de la dernière salle.

La première vitrine abrite principalement des vases de la période proto-helladique, de l'helladique moyen et de l'époque helladique tardive, qui furent découverts lors de fouilles menées à Krisa et dans le port de Kirrha.

Dans la deuxième vitrine sont exposés des vases et des idoles en terre cuite des années helladiques tardives (1400-1100 av. J.-C.), provenant des cimetières de Delphes, du sanctuaire d'Apollon et du sanctuaire d'Athéna Pronaia.

Enfin, la troisième vitrine renferme des objets provenant de l'Antre Corycien, cette vaste grotte sacrée dédiée au dieu Pan et aux nymphes, située sur le mont Parnasse. La grotte se trouve à proximité de l'acropole de la ville préhistorique de Lycoria.

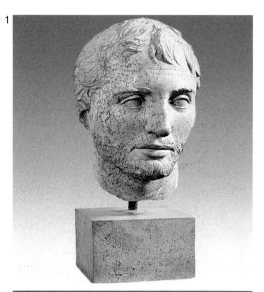

Les objets exposés consistent en quelques ex-voto fabriqués principalement en argile. On distingue l'assiette en terre cuite ornée de la représentation de la lutte opposant Apollon et Héraclès pour le trépied de Delphes, ainsi qu'une petite plaque représentant des satyres. Des vases en terre cuite, des idoles en terre cuite et en bronze de personnages féminins, d'animaux... sont également exposés dans cette vitrine.

À l'extérieur du musée on peut apercevoir de superbes mosaïques de sols, provenant de la basilique paléochrétienne (Ve siècle de l'ère chrétienne) qui fut découverte dans le village de Delphes, en 1959. Elles représentent des motifs floraux, des animaux, ainsi que de jeunes figures humaines aux couleurs particulièrement vives.

On distingue également un sarcophage en marbre provenant du cimetière Est de Delphes et dont le couvercle est orné de l'effigie du défunt en position allongée.

Enfin, dans le hangar situé devant le Musée de Delphes se trouvent les éléments d'architecture de divers édifices, ainsi qu'une statue de femme et de nombreuses inscriptions précieuses qui furent découvertes à Delphes et éclairèrent de manière significative la science de l'écriture.

1. Buste du consul romain Titus Quinctius Flamininus.
2. Buste d'homme (IIIe siècle av. J.-C.).
3. Buste d'une jeune cadette.
4. Buste d'Antinoüs.

INDEX

GLOSSAIRE

Acrotère: ornement surplombant la voûte et les deux extrémités du fronton.

Adyton: endroit le plus sacré au sein du sanctuaire antique, et dans lequel seuls les prêtres et les initiés pouvaient pénétrer.

Albâtre: petit vase destiné principalement au parfum.

Andiro: sorte de promontoire réalisé naturellement ou artificiellement, au-dessus du sol.

Apothétis: lieu où étaient rassemblés les statues et les ex-voto plus anciens (et peut être abîmés), ainsi que les objets de culte, afin de ne pas être pillés.

Arybale: petit récipient circulaire destiné à transporter de l'huile.

Cratère: vase à anses servant à mélanger l'eau et le vin.

Décate: sorte de taxe qui équivalait à 1/10ème de la récolte agricole ou du revenu.

Échine: partie du chapiteau dorique située au dessus de l'abaque et qui a une forme tronconique ou renflée caractéristique.

Épithème: élément d'architecture en forme de tronc de pyramide renversé qui était placé au-dessus de l'abaque des chapiteaux.

Ereisinote: partie du siège sur laquelle s'appuie le dos de la personne assise. Dossier du siège.

Frise: partie ouvragée de l'entablement des temples antiques et située au dessus de l'épistyle. Dans l'ordre dorique, elle est ornée de métopes et de triglyphes, tandis que dans l'ordre ionique elle se compose de représentations continues en relief.

Koilon ou Cavea: partie du théâtre antique destinée aux spectateurs. Gradins circulaires, généralement formés par le versant d'une colline et complétés par des remblais artificiels.

Kylix: coupe à anses horizontales.

Lécythe: récipient contenant de l'huile parfumée. Dans l'Antiquité, les lécythes mortuaires étaient très répandues.

Métope: Plaque en pierre polie ou ornée de hauts reliefs, qui dans l'architecture dorique alterne avec des triglyphes.

Naos «distyle à pilastre»: les deux murs les plus longs du temple forment deux pilastres au milieu desquels se dressent deux colonnes.

Périptère: temple entouré d'une colonnade extérieure.

Prostyle: temple dont la cella est précédée d'une rangée de colonnes.

Strigile: instrument oblong en cuivre ou en fer, utilisé par les athlètes pour nettoyer leur corps de l'huile et du sable dont ils s'étaient recouverts au cours des épreuves.

Stylobate: partie supérieure du krépis (socle à degré) du temple, servant à soutenir les colonnes.

Trésor: petit édifice en forme de temple, qui était généralement dédié par une ville à un grand sanctuaire en gage de reconnaissance. Sorte de chambre forte destinée aux offrandes précieuses.

Triglyphe: ornement de la frise dorique qui alterne avec les métopes et se compose de trois glyphes (cannelures).

Phiale: vase à deux anses qui était généralement utilisé lors des libations.

BIBLIOGRAPHIE

Pausanias, Ελλάδος Περιήγησις, Χ, 5, 5-32,I (Fokika).
Ιστορία του Ελληνικού Εθνους, Éditions d'Athènes.

Manolis Andronicos, Δελφοί, Éditions Athènes S.A., Athènes 1988.
D. Goudi, Το Μαντείον των Δελφών, 1935.
Ch. Karouzou, Δελφοί, 1974.
Vassiliou H. Pétrakou, Δελφοί, éditions Kleio, Athènes 1977.
Marinéla Karabatéa, Αρχαιολογικός Οδηγός Δελφών, éditions Adam..
Φώτης Πέτσας, Δελφοί, εκδ, Κρήνη, Αθήνα 1983.

P. Amandry, La mantige apollinienne a Delphes, 1950.
E. R. Dodds, The Greeks and the Irrational
    (En grec, sous le titre Οι Έλληνες και το Παράλογο,
    Traduction D. Manolakis), éditions Kardamitsa, 1978.
M. Delcourt, L' oracle de Delphes, 1955.
R. Flaceliére, Greek Oracles (En grec, sous le titre
    Μάντεις και Μαντεία στην Αρχαία Ελλάδα,
    Traduction E. Dimitriou)).
H. W. Parke, éditions Kardamitsa, Athènes, 1979.
H. W. Parke & D.E.N. Normell, The Delphic Oracle, 1956.
G. Ronx, Delphi.

Textes: ANNA MARANDI
Traduction: MURIELLE BARTHÉLEMY
Supervision des textes: DAPHNÉ CHRISTOU
Supervision artistique: MICHALIS LATSENERE - EVI DAMIRI

Montage, impression: ARTS GRAPHIQUES MICHALIS TOUBIS S.A.